i

LA TOUR DE
BABEL
DE LA TERRE AU CIEL

À Monique et Mimi, mes chaleureux amis d'Auberbabel,
à Claude et Yvonne, les amies de longtemps,
qui m'ont supportée même insupportable !

Collection dirigée par Marie-Thérèse Davidson

© 2011 Éditions Nathan, SEJER, 25 avenue Pierre de Coubertin, 75013 Paris
Loi n° 49-956 du 16 juillet 1949 sur les publications destinées à la jeunesse,
modifiée par la loi n° 2011-525 du 17 mai 2011.
ISBN 978-2-09-253338-3

LA TOUR DE
BABEL
DE LA TERRE AU CIEL

Marie-Thérèse **Davidson**

Illustrations : Julie **Ricossé**
Dossier : Marie-Thérèse **Davidson**

Nathan

*Les * dans le texte renvoient au lexique en fin d'ouvrage.*

Les phrases en langues étrangères du chapitre 10 sont traduites en pages 100 et 101.

LES PERSONNAGES

Première famille
AVNER : le grand-père
RÉOU : le père
YAËL : la mère
GOMER : le fils aîné
MARIAM : la femme de Gomer
BOAZ : le fils cadet
LILITH : la fille, la plus jeune des enfants

Deuxième famille
DAN : le père (veuf)
SAÏD : l'un de ses fils
TSILLA : la fille unique de Dan

Autres personnages
NEMROD : puissant personnage
SHANI : un ami de Gomer, proche de Nemrod
YOQTÂN : un ami de Réou et de sa famille

CHAPITRE 1
PRÈS DU BUT

O h, regardez !
– Lilith s'était arrêtée, saisie par la fragile élégance des amandiers couronnés de blanc. Les chèvres poursuivaient leur chemin, suivies par les frères de la fillette. Ceux-ci étaient pourtant chargés de lourds fardeaux, mais il faut croire qu'ils étaient moins sensibles qu'elle aux beautés du paysage ! En revanche, le grand-père, Avner, ouvrait de grands yeux et, pour une fois, oubliait de grogner :

– Si tôt dans la saison, les arbres sont déjà en fleurs ! On dirait de la neige !

Lui aussi s'était arrêté, admiratif, et content de se

reposer un peu. Tous venaient de grimper durant de longues heures – la dernière remontée avant de descendre enfin vers la plaine – et le vieil homme sentait le poids des ans. Il tira sur la corde un bon coup pour stopper l'âne qui continuait à avancer, sans égard pour lui.

Les parents aussi reprenaient leur souffle en admirant les pentes piquetées de blanc qui descendaient doucement jusqu'à la large plaine. Au loin, bien loin, sinuait la ligne sombre d'un fleuve. Plus loin encore, se confondant avec l'horizon, on devinait un deuxième cours d'eau.

Un large sourire illuminait le visage rond de Réou, le père de Lilith.

– Le pays de Shinéar ! Ne vous l'avais-je pas dit ? ajouta-t-il en se tournant vers les autres, avec un ample geste du bras. Il y a des régions où l'on ne grelotte pas des mois durant, des régions du monde où il fait bon vivre !

Avner grommela :

– Qu'en sais-tu ? Ce n'est pas parce qu'il y a trois arbres en fleurs que la vie va être plus douce ici que dans nos montagnes.

– Mais si, grand-père, dit vigoureusement Lilith, en glissant sa menotte dans la grosse main rugueuse du vieil homme. Regarde comme tout est beau !

Un court silence suivit cette déclaration, puis la famille de Réou se remit en marche. Lilith, vive et légère, courait devant, une mince baguette à la main, rattrapant les quelques chèvres qui s'égaillaient de-ci, de-là, mises en appétit par l'herbe neuve. Réou et ses deux fils portaient les bagages qui n'avaient pas trouvé place sur le dos des ânes ; quant à ceux-ci, ils étaient menés par Avner et deux femmes, l'épouse de Réou et sa bru.

Les eaux du grand fleuve s'étalaient au milieu de la plaine. La terre rouge et brune alentour se colorait à peine d'un vert acidulé. Des lignes sombres se révélèrent être, quand on s'en approcha à la tombée du jour, des colonnes plus ou moins longues d'ânes chargés de seaux profonds, guidés par quelques hommes. L'une d'elles avançait dans le même sens que la famille d'Avner, menée par un homme à la chevelure flamboyante, aux yeux rieurs dans un visage constellé de taches de rousseur.

– Salut à vous ! leur dit ce dernier. Je suis Yoqtân, fils de Karim.

– Salut, amis. Moi je suis Réou, fils d'Avner, et voici les miens. Nous venons des montagnes.

– Salut à vous, nouveaux venus, répondirent en chœur les âniers en arrêtant doucement les bêtes, pour éviter que leur chargement ne se renverse.

Alors la famille de Réou découvrit avec intérêt le contenu des seaux : un liquide, ou plutôt une masse visqueuse, brunâtre...

– Du bitume ! s'exclama le père.

– Mais oui, du bitume – ou de l'asphalte, si on préfère, répondit Yoqtân.

Il ne cherchait pas à cacher son étonnement.

– Vous en avez déjà vu ? continua-t-il. Pourtant c'est un matériau rare en dehors d'ici ; on n'en trouve qu'au nord, au pied des montagnes, ou bien…

– Nous venons du nord, justement, coupa Réou, et c'est là que nous en avons vu pour la première fois.

Réou et sa famille avaient été très surpris de découvrir les sources de bitume, ces zones où le matériau affleurait, mêlé à la terre qui semblait mouvante. Il suffisait aux ouvriers qui travaillaient là de gratter le sol pour recueillir de pleins seaux de cette substance épaisse, visqueuse – ces mêmes seaux que charriaient maintenant les ânes.

– Il faut beaucoup d'asphalte pour monter les murs de la Ville, ajouta l'homme trapu, c'est avec cela que nous cimentons les briques.

Tous écoutaient ses explications avec intérêt, sauf Lilith qui s'était écartée en fronçant le nez, incommodée par l'odeur forte du bitume.

– Et si nous profitions de la compagnie de ces hommes pour rejoindre la Ville ? suggéra Réou, enthousiaste.

– Oui, quelle bonne idée ! approuvèrent d'un même élan ses deux fils.

– Ah non ! éclata Avner en croisant les bras, hors de

question ! Comme si nous n'avions pas assez marché aujourd'hui !

Yaël, la plus âgée des deux femmes, leva vers son mari ses yeux cernés de mauve :

– Je suis bien fatiguée, moi aussi. Ne serait-il pas temps de dresser les tentes pour la nuit ?

Réou hésita, tant il avait hâte de découvrir la Ville et ses merveilles. Mais il ne pouvait passer outre la volonté de son père et le regard las de son épouse. Aussi, malgré le regret qui perçait dans sa voix :

– Adieu, Yoqtân, bonne route, les amis, dit-il aux hommes qui repartaient avec les ânes. Peut-être nous verrons-nous demain !

Demain ! Demain, il verrait enfin de ses yeux ces murs qui le faisaient tant rêver !

La nouvelle s'était répandue à travers les déserts et les plaines fertiles, au-delà des fleuves et des montagnes enneigées. Las de pousser leurs troupeaux devant eux, de vivre isolés sous leurs tentes, las surtout de subir sans pouvoir se défendre les méfaits du Ciel et de la Terre – orages et tremblements, ou, pire encore, une Grande Inondation –, las de tous ces malheurs, des hommes avaient décidé de réunir leurs forces pour construire, ensemble, une ville assez grande pour les accueillir tous, pour tous les protéger des Forces qui les menaçaient. Pour établir la Ville, les initiateurs de cette entreprise avaient choisi la double vallée fertile, plus précisément le pays de Shinéar, où les deux grands fleuves se rejoignent presque, nourrissant la terre mieux que partout ailleurs. Depuis quelques saisons déjà, les hommes arrivaient là par familles entières ou par tribus, venus des montagnes d'orient ou du désert du couchant, des hauts plateaux du nord ou des rivages du sud. Tous tendus vers le même but : la Ville !

Réou, comme tant d'autres, s'était enflammé pour cette idée de création commune, et avait entraîné sur les chemins sa femme et ses fils, sa fille et son père. À force de leur raconter ses rêves, il avait réussi à les gagner à sa passion – sauf son vieux père qui n'avait suivi qu'en grognant.

Après une nuit presque glaciale, tous accueillirent avec plaisir le soleil qui se levait au-dessus des montagnes. Boaz, le plus jeune des fils, et la petite Lilith partirent ramasser bois et brindilles pour faire du feu, tandis que Yaël et sa bru trayaient les chèvres. Les hommes avaient à peine fini de replier les peaux dont étaient faites les tentes que les enfants étaient de retour. Après un bref repas, composé du lait des chèvres et des galettes d'orge cuites sur le feu, on se remit en route. Lilith laissait son regard courir sur la plaine et sur les petites troupes qui la traversaient, en direction du même point.

« Un nouveau pays à explorer ! Et bientôt, de nouveaux amis ? » Les grands yeux bruns de la fillette brillaient d'espoir.

CHAPITRE 2
LE CHANTIER

Ce même matin, alors que le soleil se levait à peine, Yoqtân et ses compagnons arrivaient avec leurs ânes aux abords du chantier.

Ils longeaient une carrière à ciel ouvert d'où s'élevaient des chants rythmés. C'est ainsi que les hommes se donnaient du cœur à l'ouvrage : avec des pelles grossièrement taillées, ils s'échinaient à extraire de la terre argileuse qu'ils déposaient dans des brouettes. Lorsque celles-ci étaient pleines, ils laissaient la place à ceux qui revenaient avec leurs brouettes vides et partaient vers les aires de fabrication des briques en poussant leur charge. Les ouvriers circulaient en tous sens, riant, chantant, s'interpellant. Tout cela faisait un manège incessant, et l'on aurait pu se croire dans une immense fourmilière – mais sans l'ordre qui caractérise les fourmis !

Poursuivant leur route, les âniers parvinrent au niveau de l'une des aires. Sur le sol recouvert de sable, de longues rangées de briques séchaient au soleil. Ils s'arrêtèrent un moment pour regarder les hommes au travail un peu plus loin : Yoqtân ne se lassait pas du spectacle.

– Poussez vos bêtes de là, vous ne voyez pas que vous gênez le passage ! s'exclama un homme, dont la brouette, pleine à ras bord de terre argileuse, menaçait de verser.

– Eh bien, attends un peu qu'on soit passés, rétorqua Yoqtân.

– Toi, tu es encore plus stupide que tes ânes ! repartit l'autre.

On s'injuriait, mais les visages joyeux et ouverts démentaient l'agressivité apparente des paroles. Laissant l'homme les dépasser, Yoqtân et sa petite troupe reprirent leur route, croisant des files d'âniers ou de porteurs. Ceux-ci venaient du grand fleuve tout proche, où l'on puisait l'eau nécessaire à la fabrication des briques. D'autres encore arrivaient des terrains cultivés aux abords de la Ville pour apporter la paille séchée : tous les matériaux étaient là, à portée de main ou de brouette, il ne restait plus qu'à les acheminer jusqu'au chantier.

Les murailles de la future Ville s'élevaient de la hauteur d'un homme environ. Là aussi, il y avait foule. Au sol se succédaient ceux qui apportaient les briques cuites et le bitume pour les murs, et ceux qui offraient galettes tièdes et eau fraîche pour apaiser la soif et la faim des bâtisseurs. Ces derniers posaient les briques les unes sur les autres, en prenant bien soin de les décaler, pour en augmenter la solidité. Puisant dans les seaux, ils cimentaient les briques entre elles avec le bitume qu'ils étalaient en couche fine, à l'aide d'un patin de bois. Certains chantaient à tue-tête, d'autres fredonnaient ou sifflaient. Yoqtân et ses compagnons contemplèrent, les yeux brillants, ce qui s'était construit pendant ces derniers jours, le temps de leur absence.

Le lendemain, Réou et ses deux fils, Gomer et Boaz, arrivaient à leur tour sur le chantier. Étourdis par la foule qui les entourait, les dépassait, les bousculait, ils ne savaient où porter les yeux.

Ils peinaient à avancer tous au même rythme. Réou, de taille moyenne, robuste, tournait de tous côtés sa tête brune au regard chaleureux et curieux, et parlait sans cesse. Gomer, l'aîné, âgé de vingt et un ans, ressemblait plutôt à son père, en plus brun encore, plus grand, plus sec surtout. Mais lui ne souriait guère, et s'impatientait facilement devant la lenteur de Réou et la naïveté de son jeune frère. Tous les deux pas, il devait ralentir pour les attendre ! En effet, Boaz, à peine sorti de l'enfance, vite distrait par tout ce qu'il voyait, s'arrêtait, bouche bée, regardait, puis accélérait le pas pour rattraper les autres, avant de s'arrêter à nouveau. Lui tenait de Yaël, leur mère. Plus clair de peau et de cheveux que son père et son frère, il était aussi plus fluet : il n'avait que treize printemps.

– Fils, regardez ! Le porteur, avec sa perche en travers des épaules ! Les seaux ont l'air bien lourds, pourtant. Quelle force !

– Hmm, acquiesça Gomer avec un petit signe de tête, quelle habileté aussi !

– Oh, un âne planté au milieu du chemin ! s'exclama Boaz. L'ânier est rouge de colère !

Le jeune homme resta à observer la scène, tandis que les deux autres poursuivaient leur exploration.

– Et ici, que fabriquent donc ces hommes ? se demanda tout haut Réou.

– …

– J'ai compris ! poursuivit Réou, sans se formaliser du silence de son fils aîné. L'eau, la terre… Évidemment, c'est là que se font les briques ! Allons voir !

Gomer acquiesça et dépassa Réou, qui attendait que Boaz les rejoigne en courant. Tout d'abord, ils ne distinguèrent rien, tant l'air était épais. En effet, ils venaient d'arriver près d'une zone où l'on travaillait l'argile. On déchargeait la terre des brouettes pleines, terre qui était ensuite broyée, puis tamisée pour en ôter les cailloux. Plus loin, d'autres brouettes apportaient du sable, des âniers amenaient leurs bêtes chargées de tonneaux et de seaux d'eau. Tous ces matériaux, l'argile débarrassée de ses impuretés, l'eau, le sable et la paille, étaient enfin déversés dans des fosses, où des hommes pétrissaient la boue de leurs pieds nus. Certains de ceux qui travaillaient là avaient noué un linge devant leur nez pour ne pas aspirer les brindilles et la poussière qui voletaient dans l'air rougeâtre.

Les trois hommes marchaient le long des fosses et admiraient, ébahis, cette agitation féconde. Pour une fois, Réou était réduit au silence.

– Hé, vous trois! Les nouveaux!

– Nous? firent Réou et Boaz, faisant volte-face pour voir qui les interpellait.

C'est Boaz qui le premier aperçut Yoqtân, aisément reconnaissable avec ses cheveux flamboyants. Il sortait de l'une des fosses, plein de poussière, un grand sourire aux lèvres, la boue faisant à ses pieds d'étroites bottes rougeâtres.

– Alors, vous venez travailler avec nous?

– Mais oui! s'exclama Réou, qui manifestait son enthousiasme par de grands moulinets de bras. Bien sûr! Nous sommes venus pour prendre part à ce beau projet…

– … Oui, un abri pour tous! renchérit Yoqtân, non

moins passionné. Créé par tous. Car nous travaillons ensemble, chacun pour la communauté...

– Mais... tu ne menais pas un âne il y a deux jours ? interrompit Gomer en fronçant les sourcils.

– Si, répondit l'autre, tu ne te trompes pas. Mais j'en avais assez, je voulais de nouveau malaxer cette terre, cette boue – c'est ici que j'ai l'impression d'être le plus utile.

– Alors, se réjouit Boaz, on va où on veut, on travaille comme on veut ?

Un homme aux traits fins et réguliers, un peu plus âgé que Gomer, avait lâché ses outils et s'était approché pour écouter leur conversation. Il intervint alors et, d'un air fâché :

– Eh oui, on travaille comme on veut ! Comme le répète tous les jours Nemrod, ajouta-t-il avec véhémence en s'adressant tour à tour à Yoqtân et aux nouveaux venus, c'est bien là le problème ! Résultat, si personne ne va chercher le bitume, par exemple, il viendra à manquer et il faudra interrompre la pose des briques. Une répartition des tâches entre nous devient absolument nécessaire, sinon...

L'homme s'interrompit, les sourcils froncés, l'air soucieux. Ce discours plut à Gomer, qui considéra le nouveau venu avec sympathie.

– Qui est ce Nemrod ? lui demanda-t-il.

– Oh, tu ne tarderas pas à le voir. C'est l'un des

premiers arrivés à la Ville, un ami, plein d'initiative et d'idées.

– Et généreux ! compléta Yoqtân.

– Un personnage extraordinaire, conclut l'homme.

Puis son visage s'éclaira et, la main sur le cœur, il se présenta :

– Je suis Shani, fils de Coré. Et vous ?

Après les présentations, les cinq hommes partirent ensemble visiter les autres secteurs du chantier. Les anciens voulaient montrer aux nouveaux venus les rangées de briques en train de sécher, puis les fours où on les cuisait, et enfin... les murs ! Shani et Yoqtân n'étaient pas toujours du même avis, mais tous deux s'enorgueillissaient pareillement du travail qui s'accomplissait ici. Ils se réjouissaient des « oh » et des « ah » de Réou et de Boaz, du sourire d'approbation affiché par Gomer.

– Et vous, vous êtes bien venus ici pour travailler avec nous ? Quel poste allez-vous choisir ? finit par demander Yoqtân.

– J'aimerais bien monter le mur, dirent d'une même voix Réou et Boaz.

– Toi, tu es trop jeune, rétorqua Shani à Boaz. Mais tu sembles vif et leste, tu seras auxiliaire, chargé d'aider les bâtisseurs et de faire leurs courses.

Puis, sans plus de ménagement pour la mine déçue du jeune garçon, il se tourna vers son père.

– Et toi, tu sais maçonner ? s'enquit-il.

– Euh, non… C'est difficile d'apprendre ?

– Mais non, répondit Yoqtân en balayant d'un revers de la main les inquiétudes de Réou, tu verras.

Shani semblait moins optimiste, mais il n'insista pas et se tourna vers Gomer.

– Et toi ?

– Où on a besoin de moi. Avec toi, si tu veux bien, répondit celui-ci.

Réou et Boaz lui jetèrent un regard étonné : il accordait rarement aussi vite sa sympathie et sa confiance !

– Bien dit, répondit Shani. Je pense qu'on a besoin d'hommes comme toi aux fours. Nous travaillerons ensemble les premiers jours. Mais les ouvriers ne restent jamais longtemps à ce poste, ils ont trop chaud, même maintenant, alors que nous sommes encore loin de l'été ! Ne t'inquiète pas, il y aura du roulement ; toi aussi, tu iras travailler aux murs, je te montrerai !

CHAPITRE 3
SOUS LA TENTE

iliiith ! cria Avner, sa main en porte-voix.
– Liiiliiith ! modula-t-il plus fort encore.
Ah, celle-là ! bougonna-t-il, toujours en
– vadrouille !

Lilith n'avait pas tardé à se lier avec la plupart des enfants du voisinage, ceux du moins qui n'étaient pas encore en âge d'aller travailler sur les chantiers de la Ville. Vive et décidée, elle avait réussi à prendre de l'ascendant sur les filles comme sur les garçons et elle menait sa petite bande à sa guise. Elle leur avait communiqué sa propre curiosité, et ils s'étaient mis à sillonner le pays de Shinéar, désormais inséparables.

Avner pénétra sous la tente, où il rejoignit les femmes qui venaient de rentrer des champs. Comme tous les hommes en âge de travailler étaient attirés par le chantier de la Ville, c'était à elles que revenait le soin de veiller sur les troupeaux et les plantations, sans oublier le foyer et les enfants en bas âge. Chez Réou, c'était Yaël, son épouse, qui avait la haute main sur ces tâches, aidée par Mariam, la jeune femme de Gomer, et par la toute jeune Tsilla, avec qui elles s'étaient liées depuis leur arrivée ici.

Yaël était une belle femme, plutôt petite, que l'âge et le labeur commençaient à user. Sa peau fine et claire était maintenant ridée par le soleil, ses yeux noisette étaient soulignés de cernes mauves. Mariam offrait avec sa belle-mère un harmonieux contraste. Grande et souple, elle avait une longue chevelure blonde qu'elle nouait sur la nuque, sauf quelques cheveux follets qui s'en échappaient. À côté de Yaël et de Mariam se trouvait leur nouvelle amie, Tsilla, une jeune fille du voisinage. D'une douzaine d'années à peine, cheveux et yeux noirs, cette jolie enfant était contente de trouver ici un peu de compagnie féminine. Il faut dire que le père de Tsilla, Dan, était veuf, et elle était sa seule fille. Ses frères se résignaient à aider leur sœur dans ses travaux, chacun à leur tour, mais dès qu'ils le pouvaient, ils s'échappaient. Aussi Tsilla avait-elle été heureuse d'obtenir le soutien de Yaël et de

Mariam pour venir à bout de ses tâches et, en retour, elle les épaulait quand le besoin s'en faisait sentir.

En cette fin d'après-midi, elle profitait avec ses amies d'un moment de repos bien mérité. Assises en rond sur un tapis de jonc, toutes trois discutaient tranquillement quand le grand-père se présenta. Avec un bel ensemble, elles se tournèrent vers lui.

– Alors ? demanda Yaël.

– Comme d'habitude, partie on ne sait où.

– Ne t'inquiète pas, grand-père. J'ai confiance en Lilith, elle est sérieuse, même si elle ne sait pas tenir en place !

Avner semblait en douter, mais il se contenta de hausser les épaules. Yaël se leva pour aller chercher quelques fruits secs et autres douceurs, laissant le grand-père avec Mariam et Tsilla.

Or, depuis quelques lunes, Gomer et Mariam habitaient à l'écart de la tente familiale, dans une hutte nouvellement construite. Bâtie en briques crues et couronnée d'un toit de feuillage, cette hutte avait belle allure. Durant l'été, sa fraîcheur avait bien protégé ses occupants du soleil brûlant, et tous deux étaient très fiers de cette innovation. Mais le grand-père, qui décidément n'aimait que grogner, y avait trouvé un nouveau sujet de mécontentement.

– Quelle idée d'aller s'enfermer entre des murs ! attaqua Avner. Jamais, tu m'entends bien, Mariam, jamais tu ne me feras vivre dans une maison comme la vôtre ! La terre, c'est fait pour marcher dessus, pas pour s'ensevelir dessous !

– Des murs, ça n'a rien d'un tombeau ! rétorqua Mariam en souriant.

Mais Avner avait l'air si furieux que Mariam se mordit les lèvres et n'osa poursuivre. C'est la brune Tsilla qui reprit, très sérieusement :

– Alors selon toi, vénérable Avner, ton fils, mon père, tous les bâtisseurs de la Ville seraient en train de construire des tombes ?

– Qui sait ? répondit le vieux têtu. C'est Réou qui nous a emmenés ici, moi je ne voulais pas. Oh, je sais bien, aujourd'hui, les fils n'écoutent pas beaucoup ce que disent les pères…

Et il ajouta, nostalgique, à moitié perdu dans ses pensées :

– Je ne supporte pas de voir tous les jours le même paysage, tous les jours les mêmes gens, de me sentir prisonnier du même lieu. Jusque-là, je marchais au rythme de mes troupeaux, je suivais mes bêtes, je découvrais le monde…

– Ça y est, s'exclama Tsilla, je comprends mieux de qui ta petite-fille tient son caractère ! Pas étonnant qu'elle soit comme un cabri, toujours prête à s'échapper !

Les femmes éclatèrent de rire, et même Avner se dérida.

C'est à ce moment que surgit Lilith, tout essoufflée.

– Bonjour grand-père, bonjour maman! lança-t-elle au vieil homme et à Yaël.

– Où étais-tu? interrogèrent ceux-ci de concert.

L'enfant eut un vague signe de la main:

– Par là-bas!

– Où ça, là-bas? reprit Avner sur un ton aigre. Tu sais qu'il ne faut pas aller trop loin!

– Surtout près des marais ou du fleuve, c'est très dangereux, compléta Mariam.

– Oui, insista Avner, tu ne mesures pas le danger, tu pourrais te noyer!

Yaël se contenta d'un rapide coup d'œil sur sa fille, ce qui suffit apparemment à la rassurer, et elle lui donna une pleine poignée de dattes et d'amandes.

Tout doucement, la discussion s'éteignit. Tous grignotaient avec plaisir quand Tsilla rompit le silence.

– Vénérable Avner, tu nous raconterais une de tes belles histoires? demanda-t-elle au grand-père.

– Moi? Et si je n'en ai pas envie?

– S'il te plaît, voisin! insista-t-elle sans se démonter. C'est un tel plaisir de t'écouter! N'est-ce pas, Lilith?

– Grand-père sait bien que nous aimons tous l'écouter! répondit la fillette. Mais lui aime bien nous faire languir. N'est-ce pas, grand-père?

Tsilla se souvenait encore de ses premiers après-midi passés avec Lilith et son grand-père, quand Yaël la renvoyait sous la tente, pour lui épargner les travaux trop difficiles. Avner cessait enfin de gronder, et commençait à jouer. Il jouait de la flûte, il jouait à être un animal ou un sorcier, il jouait avec des mots qui ne voulaient rien dire, mais qui pouvaient tout dire...

« Abracadabra », disait-il d'une voix caverneuse, et une immense grotte tapissée d'étoiles et de pierreries s'ouvrait devant leurs yeux éblouis ; il sifflait, « sssss », et un serpent se faufilait entre les herbes ; il gonflait les joues, « fffffhhh », et c'était le vent qui soufflait là-haut dans les montagnes du nord... Il leur racontait des histoires fabuleuses : les amours contrariées du soleil et de la lune, le combat des géants d'où étaient nées les montagnes ; ou d'autres, plus légères : comment le nez de l'éléphant était devenu une trompe, comment l'hippopotame assoiffé avait asséché le fleuve... À ces moments-là, Avner rajeunissait, oubliait son mauvais caractère, et cette métamorphose fascinait Tsilla, comme si elle voyait l'un des personnages imaginés par le vieil homme prendre vie sous ses yeux. Dommage, cela ne durait pas...

Avner se défendit sans conviction, et finit par se rendre aux prières.

– Que vais-je vous raconter ? D'abord, il me faudrait ma flûte.

D'un bond, Lilith se précipita pour aller chercher l'objet réclamé.

Avner s'empara de l'instrument et égrena quelques sons. Puis il commença :

– Il y a bien longtemps, il n'y avait ni terre ni ciel, ni fleuve ni montagne, ni homme ni bête. Rien, il n'y avait rien, qu'un Vide immense. Un jour…

L'auditoire se taisait, captivé. On ne reconnaissait plus le timbre d'Avner le bougon, Avner le râleur. Non, sa voix, grave et profonde, les transportait en ce temps éloigné d'avant la naissance du monde. Et le chant de la flûte les accompagnait dans leur voyage.

La première étoile brillait déjà dans le ciel encore clair quand les travailleurs revinrent du chantier. Avner finissait :

– … Et c'est depuis ce temps que le serpent n'a plus de pattes et doit ramper, le ventre dans la poussière.

Femmes et enfants s'ébrouèrent, comme s'ils s'éveillaient.

– On dirait que nous avons manqué quelque chose ! s'exclama Boaz, qui revenait avec son ami Saïd, le plus jeune frère de Tsilla, aussi brun qu'elle. Le serpent avait des pattes, avant ?

– Tu ne connais pas l'histoire ? répondit Lilith. Pourtant c'est grand-père qui l'a racontée.

– Mais il invente, grand-père, tu ne le sais pas encore ? se moqua Gomer, l'aîné.

Déjà, les visiteurs, Tsilla et Saïd, faisaient leurs adieux

à Réou et à Avner, quand Yaël remarqua le regard de Boaz. Le jeune homme couvait Tsilla des yeux, comme hypnotisé par ses boucles d'un noir presque bleu. Un léger sourire éclaira le visage de Yaël, qui détourna la tête ; mais Gomer l'avait vu, lui aussi, et ne montra pas la même discrétion.

– Eh bien, frérot, que t'arrive-t-il ? Tu es paralysé aujourd'hui ? Regardez-le qui rougit !

Devant la mine effarée de Boaz, tous se mirent à rire. Sauf Tsilla, qui baissa le nez et cacha son visage derrière le rideau de ses cheveux, à son tour empourprée.

CHAPITRE 4
UNE VOLONTÉ POUR TOUS

Allez, Boaz, dépêche-toi ! s'impatientait Saïd.
– Nous sommes en retard, il n'y a plus personne
dans les rues, l'assemblée sera déjà commencée !

– Je sais, je sais, mais je me suis tordu le pied en
tombant tout à l'heure ! Tu peux bien m'attendre ! On
y sera assez tôt, ne t'inquiète pas tant...

Boaz suivait en boitillant son ami Saïd à travers la
Ville, en direction du mur ouest. Contrairement à
l'habitude, la plupart des hommes n'étaient pas à leur
poste de travail. Personne sur les échafaudages, partout des outils abandonnés au sol ou sur les murs :
la fourmilière semblait désertée. C'est que la réunion

vers laquelle se dirigeaient les deux jeunes gens était d'une importance capitale pour la Ville !

Deux cycles de saisons s'étaient écoulés depuis son arrivée, et Boaz avait pris du muscle et de la vigueur, tout comme Saïd. La première année, on leur donnait des courses à faire, on leur demandait de l'aide ici ou là, à un poste ou à un autre, mais on ne leur réclamait jamais un travail de force. Ce n'était plus le cas aujourd'hui, et du haut de leurs quinze printemps ils se considéraient – un peu hâtivement, peut-être – comme des ouvriers accomplis. Bientôt des hommes !

– Regarde, on les voit là-bas ! s'exclama Saïd.

Près de la porte du Couchant se pressait une foule compacte. Étonnamment, malgré l'affluence, cette foule était presque silencieuse. Tous retenaient leur souffle pour mieux entendre celui qui, juché sur une sorte d'estrade, leur adressait un discours enflammé. Saïd ne tenait plus en place.

– Nemrod ! s'écria-t-il, Nemrod est en train de parler ! Dépêche-toi donc !

Et il partit sans attendre davantage. Boaz se pressa aussi vite qu'il le pouvait ; il n'en voulait pas à Saïd, il aurait fait la même chose à sa place !

– Amis ! déclarait Nemrod à la foule en lui tendant les bras. Il est clair que les Coordinateurs que vous vous êtes choisis vous permettent de progresser dans votre ouvrage ; grâce à eux, vos postes ne sont plus attribués au petit bonheur la chance. Auparavant, certains d'entre vous se bousculaient autour d'un mur, incapables de travailler efficacement tant ils étaient nombreux ; au même moment, de l'autre côté de la Ville, toute construction était interrompue, les murs laissés quasiment à l'abandon, faute d'ouvriers ! Aujourd'hui, cela n'arrive plus, vos Coordinateurs sont là pour vous aider à ne perdre ni votre temps ni vos forces, à trouver la place où chacun de vous est le plus utile !

Tout en disant cela, l'orateur désignait d'un large mouvement circulaire de la main les quelques Coordinateurs près de lui, tout enorgueillis d'être ainsi complimentés devant la population de Shinéar, qui les applaudissait à tout rompre.

– Oui, merci aux Coordinateurs !

– Bravo les Coordinateurs !

Boaz rejoignait Saïd, quand il aperçut son père dans la foule. Il entraîna son compagnon, et ensemble ils se glissèrent jusqu'à Réou et Yoqtân. Les deux hommes plissaient les yeux pour mieux distinguer ceux qui entouraient Nemrod. Yoqtân le premier vit celui qu'ils cherchaient :

– Il est là, Réou ! Gomer, ton fils ! Regarde !

– Oui, à côté de Shani, ajouta Réou, moins souriant que son ami.

– Et là-bas, on dirait Dan, ton père ! fit remarquer Boaz à Saïd.

– Sûrement pas, répondit celui-ci. Père connaît bien Gomer et Shani, mais il n'est même pas Coordinateur ; que ferait-il près de Nemrod ?

Après ce moment de distraction, tous quatre reportèrent leur attention sur l'orateur. Nemrod était un bel homme, de haute stature, à la chevelure noire et bouclée, à la voix chaude et prenante. L'un des initiateurs du chantier. Ses partisans vantaient ses actions d'éclat. Grand chasseur, il était connu pour sa générosité, régalant de gibier frais tous ceux qui l'approchaient. Tout le monde l'admirait et lui vouait une confiance aveugle.

– Mais je vous ai compris ! reprenait Nemrod. Oui, nous pouvons faire encore mieux, encore plus ! Puisque vous êtes si nombreux à le désirer, je ne veux pas vous décevoir. Oui, je prendrai votre tête, la tête de notre Ville ! Je suis là pour vous, prêt à vous servir, à vous aider, prêt à rassembler toutes vos volontés, qui s'éparpilleraient si elles n'étaient réunies dans ma personne. La Ville n'aura plus qu'UNE volonté, et ce sera la VÔTRE !... Vous verrez ! Ensemble, nous irons plus loin encore, plus HAUT !

Un tonnerre d'acclamations accueillit la fin de ce discours. Yoqtân et Saïd sautaient de joie sur place, et ils n'étaient pas les seuls : tous exultaient, s'embrassaient, se congratulaient.

– Vive Nemrod ! Vive notre chef !

– Que sa volonté soit notre volonté !

– Notre Volonté, Une Volonté ! Notre Volonté, Une Volonté ! se mirent à scander tous les ouvriers de la Ville.

Les hommes finirent par se séparer, un peu étourdis de cette explosion de joie. En passant, ils se réjouissaient encore, quittant à regret Nemrod et son entourage. Mais le héros du jour les avait fermement renvoyés à leurs tâches. Les quatre hommes attendirent pourtant Shani, et surtout Gomer, pour les féliciter.

– Tu as de la chance, soupira Yoqtân. Ton fils est devenu quelqu'un d'important, maintenant.

– Hmm, sans doute, répondit Réou, qui manifestait moins d'enthousiasme que son ami.

– Que veux-tu de plus ? Gomer est le grand ami de Shani, qui lui-même appartient au cercle de Nemrod ! La vie sera certainement plus facile pour vous tous, dorénavant !

– Oh, ce n'est pas sûr ! intervint Boaz. Gomer se prenait déjà au sérieux avant même d'être Coordinateur ; puis il est devenu papa, et ça a été pire ; alors, maintenant que son précieux Shani devient quelqu'un d'important, il va être… insupportable ! Mais, ajouta-t-il en se tournant vers son père, tu exagères, aussi : tu commences à te méfier de tout et de tous. Attention, tu deviens comme grand-père !

En réponse à ce jugement tranchant, Réou se justifia.

– Il est certain que cette histoire de… chef ne me convainc pas. Je n'ai rien en particulier contre Nemrod, mais je ne comprends pas l'intérêt d'avoir un chef qui nous gouverne et nous domine. Nos Coordinateurs ne nous suffisaient-ils pas ? Eux, nous les connaissons bien, ce sont nos camarades, ils travaillent avec nous. Nemrod était un parfait Coordinateur, d'ailleurs, tout comme Shani, ou n'importe quel autre… Pourquoi a-t-il fallu créer ce nouveau poste ?

– Mais Nemrod, nous le connaissons justement ! répondit Yoqtân. C'est un bon choix, ce sera utile pour la Ville d'avoir un seul homme à sa tête pour en diriger la construction, harmoniser nos actions. Nous travaillerons mieux, nous serons plus forts ainsi !

Réou n'avait pas l'air convaincu et gardait une moue dubitative.

– Il a de drôles d'idées, ton père, fit Saïd à l'adresse de Boaz, qui haussa les épaules une fois de plus.

La conversation en resta là, car Gomer arrivait en compagnie de Shani.

– Eh bien, les amis, que faites-vous là ? Vous n'êtes pas au travail ? demanda ce dernier, souriant.

– Si, si, nous y allons, s'empressèrent les quatre hommes.

– Mais nous voulions d'abord te féliciter, ajouta

Yoqtân. Vous qui faites partie des proches de Nemrod, vous devez être contents !

Shani sourit encore plus largement sous l'effet du compliment ; quant à Gomer, il prit son air « sérieux » – comme disait Boaz – pour leur faire la morale.

– Merci, Yoqtân, merci vous autres !

« *Vous autres...* C'est à nous, à son propre père qu'il s'adresse ainsi ! » se révolta Boaz en son for intérieur.

– Mais je ne pense pas, poursuivit Gomer d'un ton suffisant et sans réplique, avoir plus de raisons d'être content que toi ou que n'importe qui. Je suis simplement heureux que Nemrod ait accepté la lourde tâche de nous diriger, selon notre vœu commun !

– Bien parlé, approuva Shani. Allez, les amis, que cela ne vous fasse pas oublier la Construction Commune, rejoignez vite votre poste.

Les quatre hommes s'éloignèrent, un peu moins gais qu'auparavant. De toute façon, il était temps de se séparer, Réou arrivait devant son poste, Yoqtân bifurquait pour rejoindre le sien. Boaz et Saïd continuèrent ensemble sur quelque distance. Boaz semblait être dans les nuages, et son compagnon lui en fit la remarque.

– Hmm... Je réfléchissais. En fait... je n'aime pas beaucoup Shani, confia alors le jeune homme. Tu ne trouves pas qu'il a un sourire faux ?

– Non, pas du tout, répondit Saïd. Tu dis ça parce que tu es jaloux.

– Jaloux ? Pourquoi serais-je jaloux ?

– Je ne devrais peut-être pas te le dire. J'ai l'impression que… Shani… aime beaucoup Tsilla.

– Lui ! Mais il est trop vieux pour Tsilla !… Et elle ?

Saïd éclata de rire.

– Je ne m'étais donc pas trompé, tu es bien amoureux d'elle !

Boaz s'empourpra instantanément et acquiesça d'un signe de tête. L'autre poursuivit :

– D'abord, Shani n'est pas si vieux que cela, il n'a pas beaucoup plus de… trente ans ! Et ma sœur en a presque quatorze !

Devant la mine déconfite de son ami, Saïd corrigea :

– Je plaisante, voyons ! Mais on a déjà vu des vieillards épouser des jeunes filles… Et puis, tu crois qu'elle me fait ses confidences ? C'est vrai qu'elle rougit quand elle te voit arriver ; et qu'elle s'éloigne aussitôt que lui vient nous rendre visite. C'est plutôt un bon signe pour toi, non ?

– Oui… Il n'empêche, ajouta Boaz, l'air maussade, je suis trop jeune encore pour la demander à votre père, et Shani est un homme bien plus important que moi…

CHAPITRE 5

LE DÉLUGE

Assises à terre sous l'auvent de la tente, Yaël et Mariam écossaient des fèves, et toutes deux, la grand-mère et la jeune maman, jetaient de fréquents coups d'œil au nouveau-né qui dormait dans son hamac. Celui-ci n'était jamais bien loin de sa mère. Le plus souvent, elle l'attachait dans son dos pour avoir les mains libres quand il lui fallait faucher ou labourer. Elle nouait alors plus serrés ses longs cheveux blonds, proie tentante pour les petits doigts de son bébé. Ce n'est que pour le faire téter, ou sous la tente, qu'elle pouvait le libérer et le serrer contre son cœur.

Un peu plus loin, Avner taillait une grande tige de roseau pour s'en faire une nouvelle flûte – la précédente était fendue. De temps en temps, sans un mot, les deux femmes échangeaient un regard et se souriaient. Mariam aimait bien passer ses journées avec Yaël et Avner – de préférence en l'absence de Gomer. Son mari était devenu si orgueilleux, si imbu de sa personne que même avec ses parents il pouvait se montrer désagréable, et Mariam en était alors toute gênée.

L'après-midi s'écoulait ainsi, paisible, quand une petite bande d'enfants fit bruyamment irruption.

– Maman ! Grand-père !

– Yaël ! Avner !

C'étaient Lilith et ses amis. Les enfants semblaient bouleversés, leurs pupilles étaient dilatées, certains secoués de frissons.

– Grand-père ! Maman !

Lilith se jeta dans les bras de sa mère qui s'était levée au premier appel, tandis que les autres enfants se rapprochaient peureusement.

– Que vous arrive-t-il ? demanda Avner, le sourcil froncé.

– Nous sommes là, chut, calmez-vous, dit Yaël pour les rassurer.

Les trois adultes, debout, considéraient les enfants, prêts à les défendre. Mais contre quoi ? Contre qui ?

Les enfants commencèrent à parler, mais tous ensemble, c'était incompréhensible.

– Des os, il y en avait partout…

– Partout, plein… renchérissait un autre.

– Des squelettes…

Yaël leva la main pour les faire taire.

– Qu'est-ce que c'est que cette histoire d'ossements ? Qu'un seul parle, leur enjoignit-elle. Lilith, vas-y, nous t'écoutons.

Lilith hésitait, mal à l'aise. Puis elle se lança :

– Sur une petite colline, tu sais, qui est… au beau milieu du marais.

– Le marais ? l'interrompit Avner, suffoquant. Au-delà du fleuve ? Mais, mais… je t'avais bien dit…

– Oui, grand-père, acquiesça Lilith en se mordant la lèvre, tu m'avais dit de ne pas m'approcher de l'eau, mais…

– Mais tu n'en fais qu'à ta tête, c'est ça ? souffla Yaël de sa voix douce, en faisant signe à Avner de la laisser parler.

– Oui, mamounia, dit Lilith d'une toute petite voix. Mais… mais tu sais, à force d'explorer tous les alentours, aujourd'hui nous connaissons la région mieux que personne. Nous ne courons plus aucun risque !

– Aucun risque ! s'étrangla Avner. Cette petite est inconsciente du danger !

– Laissons-la continuer, intervint Yaël.

La fillette poursuivit, hésitante, évitant soigneusement de regarder son grand-père silencieux – mais hors de lui.

– Tu sais, mamounia, nous connaissons bien les abords des marais, mais nous n'avions encore jamais essayé de nous y enfoncer, les roseaux sont si hauts qu'ils bouchent la vue. Il y a quelque temps, l'envie nous est venue d'aller plus loin, alors nous... nous nous sommes construit...

Les enfants autour d'elle retenaient leur souffle, en jetant des coups d'œil effrayés au grand-père. Lilith prit une grande inspiration, et poursuivit d'un seul trait :

– Bref, nous nous sommes construit un radeau et des rames, et nous avons pu dépasser les roseaux. C'est là que nous avons remarqué cette colline ; c'était étrange, cette hauteur au-dessus de la surface du marais. Alors nous y avons abordé.

– Et c'est là que nous avons trouvé tous ces os, intervint un petit garçon.

– Et on a pris peur ! expliqua une fillette.

– Si c'était un monstre, un ogre, qui se cachait là ? dit un troisième.

Après cette révélation, les enfants se turent, mais la réaction d'Avner les surprit. Alors que les femmes se montraient effrayées par leur découverte, le grand-père, songeur, semblait avoir oublié sa colère.

– Je crois savoir d'où proviennent ces ossements, finit-il par dire d'une voix étonnamment sérieuse. Asseyons-nous, les enfants. Je vais vous raconter une histoire – une histoire vraie, cette fois-ci.

Impressionnés par l'attitude inhabituelle du grand-père, les enfants obéirent sans plus poser de questions. Mariam et Yaël prirent place à leurs côtés, aussi attentives qu'eux.

– C'est mon grand-père qui m'a raconté cette histoire, révéla Avner. Lui-même la tenait de son propre grand-père, notre ancêtre à tous : Noé*. Imaginez un peu… Il y a très très longtemps, du temps de cet aïeul, les hommes vivaient sur toute la terre, dans des villes et des villages.

– Des villes comme la nôtre ? interrompit un garçonnet.

– C'est quoi, des villages ? fit Lilith.

– Oui, des villes aussi grandes que la nôtre, et d'autres toutes petites : les villages. Mais un jour, Dieu* s'est mis en colère, une effroyable colère.

– En colère ? Pourquoi ? demandèrent encore les enfants.

– Sans doute parce que les hommes étaient devenus mauvais, méchants. Toujours en train de mentir, trahir, violer, tuer. Si mauvais que Dieu ne pouvait plus les supporter.

Avner marqua un temps d'arrêt.

— Et alors ? le pressa Lilith, impatiente.

— Alors ? Dieu a ouvert les vannes du ciel, et il s'est mis à pleuvoir, pleuvoir, pleuvoir. Sans arrêt. Le niveau des fleuves montait. D'abord, les habitants ne se sont pas inquiétés, ils pensaient toujours que la pluie allait cesser et que l'eau redescendrait. Mais au contraire ! Bientôt, le bétail n'a plus trouvé de terre où poser le pied. Les animaux sont morts emportés par les flots. Les hommes se sont réfugiés sur le toit de leurs maisons, mais ça ne suffisait toujours pas, l'eau montait, montait encore. C'était la Grande Inondation, le Déluge…

Femmes et enfants écoutaient, bouche bée.

— Jusqu'au moment où… l'eau a atteint un tel niveau que seuls ont subsisté les poissons. Le sol avait complètement disparu, même les montagnes n'étaient plus visibles.

— Mais alors ? murmura Mariam dans un souffle. Tout le monde est mort ?

— Presque ! Une seule famille a été prévenue de la colère divine, celle de notre ancêtre, Noé.

— Par qui ?

— Pourquoi eux ?

— Par Dieu lui-même. Parce que Noé était un homme de bien, juste et honnête, qui suivait la loi divine. Dieu a ordonné à Noé de préparer un grand bateau aux flancs creux, une arche, assez grande pour l'accueillir, lui avec sa famille, ainsi qu'un couple d'animaux de chaque espèce, de façon à repeupler la terre quand la pluie aurait cessé, quand l'eau serait redescendue.

– Et ceux-là ont survécu ?

– Oui. Mais les autres… Tous ont disparu. Il ne reste d'eux que leurs ossements. Souvent sur les hauteurs où ils s'étaient réfugiés.

Le silence se fit. Jusqu'à ce que Mariam pose cette question :

– Mais alors… nous sommes tous fils et filles de Noé ? D'un seul et même ancêtre ?

– Oui, bien sûr, répondit Avner. Tous les êtres humains ont le même ancêtre.

Yaël à son tour suggéra d'une voix hésitante :

– C'est à cause de la Grande Inondation que nos hommes, nos familles ont tellement envie de construire une ville ? Pour se retrouver ensemble ? Pour se protéger d'un nouveau déluge ?

– Peut-être, répondit Avner en haussant les épaules. Mais c'est une bêtise ! Une bêtise et une erreur !

– Pourquoi une erreur ? repartit Yaël avec véhémence. Pourquoi une bêtise ? Il est normal que les hommes tentent de se protéger, de protéger leurs familles ! Tes jugements sont toujours négatifs, grand-père, mais tu ne nous expliques jamais pourquoi !

Les enfants dévisageaient de leurs yeux écarquillés le vieil homme et sa bru qui s'affrontaient soudain. Avner, d'abord interloqué, répondit à sa bru :

– Pourquoi ? Penses-tu que des murailles suffiraient face à la colère de Dieu ? Mais surtout, parce que bâtir une nouvelle ville, c'est recommencer à vivre comme avant le Déluge. Nous avons été créés pour cultiver la terre, pour mener nos troupeaux par tous les chemins, sous tous les cieux ! Et voilà que nous nous entassons au même endroit ! Personne ne s'occupe plus des volontés de Dieu. Au contraire !

On ne pouvait plus arrêter le vieillard. Il exprimait avec fougue les griefs qu'il avait accumulés au long des mois et des années contre cette Ville qui, selon lui, dévorait les forces vives de ses bâtisseurs.

– Et ce Nemrod ! Voilà que maintenant les hommes se sont choisi un chef ! Ils vont honorer un autre homme, au lieu d'honorer Dieu. Vous verrez : bientôt ils recommenceront à mentir, trahir, violer, tuer !

Sa voix se brisa.

– Et ce jour-là... J'ai peur pour eux. Peur pour les miens. Et si Dieu se fâchait encore ?...

CHAPITRE 6

LA TOUR

Le soleil était à peine levé. Réou et Boaz rejoignaient devant la porte du Levant la file des ouvriers qui, comme eux, arrivaient pour travailler. Réou s'arrêta brusquement et posa au sol la besace qui contenait ses outils de maçon, masse et patin de bois.

– Que fais-tu, père ? s'étonna Boaz.

– Vas-y, je ne tarderai pas.

Boaz sembla renoncer à la question qui lui venait aux lèvres et, tournant le dos à son père, reprit le chemin du chantier, tête basse. « Dire qu'il était si gai, avant ! » pensait Réou en suivant des yeux la mince silhouette de son fils. « Il est temps que je m'occupe de ses affaires, je vais voir Dan, ça ne devrait pas être si difficile à arranger ! »

C'était justement pour attendre Dan, le père de Tsilla, que Réou avait laissé Boaz continuer seul. Depuis peu, Dan avait été nommé Coordinateur par Nemrod. Mais c'était un voisin proche, Réou le connaissait depuis son installation près de la Ville, il réussirait certainement à lui faire entendre raison !

Réou considéra le nouveau visage de la Ville, laissant errer sa pensée. Les murs extérieurs et plusieurs maisons étaient achevés. Certaines familles avaient choisi, malgré le chantier qui s'y poursuivait, de venir habiter à l'intérieur de la Ville et s'étaient installées le plus près possible du palais que Nemrod s'était réservé près de la porte du Soleil, au sud : le palais Capital. C'était le cas de Shani, ou d'autres proches du pouvoir. Dire que son fils aîné allait bientôt en faire autant, et quitter définitivement le quartier où vivaient encore ses parents ! « Décidément, Gomer s'éloigne de plus en plus de nous. Nous ne sommes plus assez bien pour lui. Quelle idée de venir vivre ici, au milieu du bruit et de la poussière ! » songeait tristement Réou.

Du bruit, de la poussière, il y en avait tout autant que la première fois où il avait découvert la Ville avec ses deux fils, quatre ans plus tôt ! Comme ils étaient heureux à cette époque !

Aujourd'hui, le principal chantier en cours, le plus

récent, sur lequel portaient tous les efforts, était celui de la Tour. Le grand projet de Nemrod! Cette tour devait s'élever bien haut, montrer à l'univers combien la Ville était importante, combien son chef était puissant... Depuis plusieurs lunes, l'ensemble des hommes valides étaient mobilisés sur cette construction. Ordre de Nemrod. Notre Volonté – Une Volonté! Et c'est vrai que la construction avançait plus vite, maintenant qu'elle était mieux encadrée, depuis que Nemrod et ses Coordinateurs veillaient à la discipline des bâtisseurs! La Tour se dressait déjà au-dessus des murs. On avait d'abord aplani puis consolidé une vaste surface au centre de la Ville, non loin du palais Capital, et sur cette esplanade s'élevaient les premiers étages. Elle serait immense, cette tour, à voir les dimensions de sa base. D'étage en étage, elle devenait un peu moins large, formant une sorte de pyramide, entièrement ceinturée par une large allée en plan incliné, qui permettait de monter au fur et à mesure les matériaux nécessaires à la poursuite de la construction.

« Combien d'étages? se demandait Réou. Quatre? Non, trois. Déjà. Mais nous sommes encore loin du sommet! Quand nous arrêterons-nous donc? Nemrod sera-t-il un jour satisfait? »

– Eh bien, que fais-tu là à bayer aux corneilles? Allez, le travail pour la Construction Commune n'attend pas, tu devrais le savoir!

La voix qui sortait Réou de sa rêverie était criarde. Et son propriétaire n'était pas plus avenant! Un Exécuteur, l'un de ceux qui escortaient maintenant les Coordinateurs et appliquaient les sanctions, quand il y en avait. Celui-ci balançait ostensiblement son gourdin.

– J'attends Dan, expliqua Réou en essayant de conserver son calme. Il faut impérativement que je lui parle! Accorde-moi un moment, je retourne travailler aussitôt. La Construction Commune n'en pâtira pas. Notre Volonté – Une Volonté!

L'autre grommela, hésitant.

– Hmmm. Dan est un ami de Shani, le ministre, non? Je n'aimerais pas que Shani soit mécontent de moi. Bon, se décida-t-il, je te donne quelques minutes. Mais pas plus, hein, fais bien attention! Notre Volonté – Une Volonté!

Il s'éloigna, Réou se redressa, un peu secoué. Heureusement, le père de Tsilla approchait, suivi de ses Exécuteurs. Il aperçut Réou et se dirigea vers lui.

– Salut, voisin! Notre Volonté – Une Volonté! Tu m'attendais?

– Oui, Coordinateur, salut à…

– Pas de formalisme entre nous, Réou. Nos familles sont proches, non?

– D'accord, voisin. Je voulais te parler de Tsilla. Et de Boaz.

– Tsilla, ma fille? Qu'as-tu à me dire?

– Tu l'as promise à Shani, n'est-ce pas ?

– Certainement. C'est une chance pour elle, se rengorgea Dan. Shani est l'un des plus proches amis de Nemrod, et il l'a distinguée entre toutes !

– Mais mon Boaz est amoureux fou d'elle, et il n'osait pas t'en parler, parce qu'il se trouvait – et la trouvait aussi – si jeune encore… D'ailleurs, Tsilla l'aime tout autant, il est impossible que tu ne l'aies pas remarqué ! Elle a accepté la proposition de Shani ? Elle n'a pas montré de… réticence ?

Dan se renfrognait, la discussion prenait une tournure déplaisante à son gré…

– Que veux-tu que je te dise ? Shani l'a demandée le premier, j'ai accepté. Et ma parole a valeur de promesse. Tsilla n'imaginerait pas me contrarier, c'est moi qui sais ce qui est bon pour elle. Quant aux sentiments qu'elle a pu éprouver pour Boaz, ajouta-t-il avec un haussement d'épaules, et lui pour elle, c'est une histoire d'enfants ! Ça ne durera pas.

– Est-ce vraiment la meilleure décision ? insista Réou, la gorge serrée. Tu crois ?

Et comme Dan détournait le regard, feignant de ne pas entendre, Réou ajouta :

– Meilleure… pour elle ? Ou pour toi – qui seras plus près des chefs ?

Dan se raidit, puis, avec un signe de tête, répliqua d'une voix sèche :

– Va donc rejoindre ton poste, la Construction Commune n'attend pas. Notre Volonté – Une Volonté.

Et il tourna le dos à Réou, qui resta là, bras ballants. «Mais pourquoi me suis-je laissé emporter à dire des vérités désagréables? Boaz a donc raison quand il m'accuse de ressembler chaque jour davantage à Avner?» La vue d'un Exécuteur rappela Réou à la réalité, il ramassa sa besace et se dirigea à regret vers la Tour.

Tout le long de la pente monumentale qui permettait d'accéder aux étages en construction, des hommes poussaient des brouettes pleines de briques tandis que d'autres menaient les ânes chargés de bitume. Muscles tendus, visages crispés, la montée était lente et ardue. Dans l'autre sens, la descente aurait dû se faire facilement, légèrement: il n'y avait rien à porter! Et pourtant, les mines n'étaient guère plus joyeuses. Pas vraiment le temps de se regarder, à peine celui de se saluer: «Notre Volonté – Une Volonté!»

Réou s'inséra dans la file montante, sa besace sur l'épaule. Il aurait bien dépassé ceux qui grimpaient lourdement devant lui, mais cela aurait nui à l'ordre de la file, et il se serait encore fait remarquer, voire rabrouer. Ça suffisait pour aujourd'hui!

Il aperçut soudain une tignasse noire et bouclée qui filait: c'était Saïd qui descendait lestement, tirant sans ménagement un âne par le licou. Le jeune homme ne semblait pas épuisé, lui ! Interpellé, Saïd leva les yeux et lui adressa un large sourire :

– Réou ! Salut à toi ! Oh mais... tu as l'air soucieux, fatigué peut-être ? Veux-tu que je t'aide ? Que je porte tes outils ?

La gentillesse de Saïd rendit son sourire à Réou. «Ah, si ton père était comme toi ! » pensa-t-il.

– Non, merci, répondit-il. Va vite, la Construction Commune n'attend pas.

– Notre Volonté – Une Volonté, répondit joyeusement Saïd en entraînant son âne.

– Oui, oui, marmonna Réou à voix basse. Notre Volonté – Une Volonté... Et ma volonté à moi ?

De là-haut, on avait vue sur tout le pays de Shinéar. Des ouvriers travaillaient en bas, aux ateliers ou aux fours ; ils avaient la taille des poupées que les mères fabriquent pour leurs enfants. «C'est si haut déjà ! Quand nous arrêterons-nous ? » se répéta Réou.

Pris par ses pensées, il ne vit pas l'homme qui arrivait face à lui et le bouscula.

– Fais un peu attention, espèce de... Réou !

– Yoqtân !

– Réou ! Quel bonheur de te voir ! Ça fait longtemps...

Les deux hommes s'étreignirent, émus.

– Tu ne viens plus jamais jusqu'à notre tente, Yoqtân, on ne se rencontre plus...

– Que veux-tu, répondit Yoqtân en haussant les épaules, nous n'avons plus beaucoup le loisir de nous voir après le travail. La Construction Commune occupe notre temps comme nos pensées !

– Oui, tout notre temps, regretta Réou. Et maintenant que nous ne décidons plus de notre poste, nous ne pouvons pas choisir nos camarades de travail !

Yoqtân perçut la fêlure dans la voix de son ami.

– Allons, dis-moi, que t'arrive-t-il ? Tu n'es pas heureux de voir notre Tour qui s'élève et croît chaque jour un peu plus ?

– Toi aussi, tu penses qu'on peut être heureux sur commande ?

– Sur commande ? Je ne te comprends pas. Quelle commande ? Moi, je suis heureux parce que je… je le veux ! Je travaille à la Tour, pour la Construction Commune, et la Tour monte… selon ma Volonté ! C'est cela qui me rend heureux !

– Bien sûr, acquiesça Réou avec un petit sourire triste. Oublie ma question. Je me demandais à l'instant jusqu'où nous la ferions monter, cette tour.

– Jusqu'au ciel, voyons ! dit Yoqtân avec son rire joyeux. Jusqu'à Dieu peut-être !

– Jusqu'au ciel, répéta Réou, jusqu'à Dieu ! Jusqu'à Dieu ?!

Et il tourna le dos, éclatant d'un rire un peu fou. Yoqtân, interloqué, le regarda qui s'éloignait riant et gesticulant. Au bout de quelques pas, Réou fit volte-face et déclara, comme si c'était une bonne plaisanterie :

— N'est-ce pas NOTRE volonté, puisque c'est celle de Nemrod ?

CHAPITRE 7

NOTRE VOLONTÉ,
UNE VOLONTÉ

Le soleil baisse, les hommes ne vont pas tarder à quitter le travail, dit Yaël de sa voix douce. Vous rentrez maintenant ? demanda-t-elle à Mariam et Tsilla.

– Oh, pas tout de suite, Yaël, supplia Tsilla.

– Ma pauvre petite, soupira Yaël, tu voudrais voir Boaz, n'est-ce pas ? Lui aussi...

– Et alors ? grogna Avner. À quoi cela vous avancera-t-il ? Tu connais ton père.

– Oh, je le déteste, je le déteste ! Depuis... depuis qu'il est Coordinateur... il n'écoute personne d'autre que lui-même. Comme s'il était seul à détenir la vérité !

Tous trois se trouvaient sous la tente en compagnie de Mariam. Surveillant du coin de l'œil son fils qui trottinait maladroitement sur ses courtes jambes potelées, la jeune femme s'appuyait confortablement sur des coussins, soutenant son ventre qui s'arrondissait chaque jour davantage ; le deuxième enfant s'annonçait pour bientôt. Lilith aussi assistait à la conversation, trop grande à présent pour aller courir à travers la campagne. D'ailleurs, tous les garçons de son âge travaillaient maintenant sur les chantiers, et les fillettes avec leurs mères – comme elle. Songeuse, elle enroulait ses boucles brunes autour de ses doigts.

Yaël, émue, caressait doucement la noire chevelure de Tsilla.

– Reste encore un peu, dit-elle enfin à la jeune fille. Il sera toujours temps de partir quand les nôtres seront rentrés !

– Je ne repartirai pas ! Jamais ! Je reste ici !

Et Tsilla fondit en larmes. Un silence stupéfait accueillit sa déclaration. On n'entendait plus que ses sanglots.

– Tu te rends compte... commença Yaël, embarrassée.

Le grand-père se racla la gorge, puis finit par énoncer d'une voix bourrue :

– Elle fera comme elle l'entend. Il ne sera pas dit

que nous chasserons de chez nous une amie, surtout plongée dans un tel désarroi.

Sous une apparente indifférence, Lilith était bouleversée. Autour d'elle, ce n'étaient que visages tendus ou ravagés. « Mais qu'est-ce qui se passe ? On devait être tellement heureux en s'installant ici ! »

À ce moment précis, Boaz entra sous la tente. Il avait l'air las, mais quand il découvrit Tsilla, son visage s'illumina… pour se troubler aussitôt à la vue de ses larmes. Sans un mot pour les autres, il se précipita vers elle et lui saisit les mains.

– Ne pleure pas, tu ne dois pas pleurer, chuchota-t-il.

– Réou n'est pas avec vous ? s'étonna Avner.

– Il va arriver, mais il marche de plus en plus lentement, répondit le jeune homme sans même tourner la tête. Fatigué, sûrement.

– Et Saïd ? s'inquiéta Lilith. Il ne vient pas ?

– On me cherche ? claironna une voix jeune et alerte. Me voici !

La jeune fille se rasséréna. L'arrivée de Saïd détendait un peu l'atmosphère.

– Bonsoir, Yaël, bonsoir, vénérable Avner ! Notre Volonté – Une Volonté, fit-il joyeusement.

Mais il aperçut sa sœur, et ajouta, tout sourire envolé :

– Ça ne va pas, Tsilla ?

Alors que Lilith s'apprêtait à lui expliquer la situation, un bruit de voix à l'extérieur leur fit lever la tête.

– Shani ! dit Avner d'une voix froide au nouvel arrivant. Que fais-tu là ?

– Salut à toi, vénérable Avner, répondit Shani sur un ton trop cérémonieux. Notre Volonté – Une Volonté ! Ne serais-je pas le bienvenu ?

Le fait est qu'on lisait sur les visages tournés vers lui bien des sentiments – mais pas la joie !

Dans l'ombre, derrière Shani, on apercevait les silhouettes de ses Exécuteurs restés sur le seuil.

– Bien sûr que si, grimaça Avner, tous les hommes de paix sont bienvenus sous ma tente. Mais nous ne nous fréquentons guère, d'habitude. Je suppose donc que c'est une raison bien précise qui t'amène ici.

– Tu vois juste, Avner. Une épouse m'a été promise par un excellent ami, une très belle jeune fille que j'aime follement. Tu la connais bien, puisqu'elle est ici, précisa-t-il avec un regard appuyé sur Tsilla.

Yaël avait entouré d'un bras protecteur les épaules de Tsilla. Elle la serra contre elle, tandis que Shani poursuivait :

– Pourtant, elle serait tellement plus à sa place chez moi ! Alors... je viens la chercher.

– C'est mon père qui t'envoie ? interrogea Saïd, surpris et mal à l'aise.

– Mais non, quelle idée ! Dan m'a déjà donné sa

fille, n'est-ce pas normal, mon jeune beau-frère, qu'il me laisse agir ? Il sait que je ne veux que son bien ! Et le vôtre. Allons, Tsilla, ma chérie, dit-il en s'inclinant exagérément devant la jeune fille, viens, je t'en prie, je préférerais que ma femme...

– Mais elle n'est pas encore ta femme ! s'insurgea Avner.

– Vous n'êtes pas encore mariés, renchérit Saïd, la voix tremblante.

– Et si je refuse ? fit Tsilla d'un air de défi.

Elle s'était dressée face à Shani, plus belle encore dans cette attitude. Les traits de l'homme se durcirent, tandis que son regard brillait d'une convoitise sauvage. Mais il se contint, et c'est d'une voix doucereuse qu'il dit :

– Tu ne peux pas refuser. Ton père en serait sûrement fâché, et... tes amis pourraient... le regretter. Comme tu le vois, ajouta-t-il avec un geste vague vers l'entrée de la tente, je ne suis pas seul.

À ces mots, les Exécuteurs sortirent de l'ombre et approchèrent. Tsilla recula d'un pas, les yeux agrandis sous l'effet de la peur. Boaz voulut se placer devant elle, un Exécuteur leva son gourdin et, comme le jeune homme ne reculait pas, abattit son arme sur lui et l'envoya violemment rouler à terre. Un long cri de bête blessée jaillit des entrailles de Yaël, tandis que Shani saisissait Tsilla par le bras et l'entraînait sans ménagement à l'extérieur, ses hommes formant une véritable barrière derrière lui. Puis tous s'éloignèrent en hâte, les Exécuteurs entourant Shani et sa proie.

Sous la tente, Boaz gisait à terre, la tête ensanglantée. Avner et Saïd n'avaient même pas eu le temps de réagir – ils étaient pétrifiés ; les femmes, blotties les unes contre les autres, semblaient paralysées par l'effroi. Sauf Yaël, qui se précipita sur le corps de son fils.

Quelques instants plus tard, à genoux près de Boaz, sa mère, en larmes, lui bassinait le front avec un linge mouillé. À côté d'elle, Saïd soutenait Lilith, qui pleurait silencieusement dans ses bras. Au fond de la tente, Mariam serrait convulsivement son petit contre son sein, tandis qu'Avner, assis, effondré plutôt, marmonnait on ne savait quoi.

Réou arriva sur ces entrefaites et, un bref instant, embrassa du regard le sinistre tableau, comme s'il ne réussissait pas à percer le sens de ce qu'il voyait, avant de s'élancer vers son fils.

– Boaz, mon petit Boaz ! supplia-t-il d'une voix rauque. Dis-moi que tu n'es pas mort ?

À cet instant le blessé émit un grognement, et tenta lourdement de soulever sa main. Cela rassura un peu son père, qui saisit cette main dans les siennes et y appuya ses lèvres.

– Vous voyez, vous voyez ! rugit Avner en se dressant soudain, hors de lui. Ne vous l'avais-je pas prédit ?

La violence est de retour ! Dieu va prendre la mesure du mal, et que nous arrivera-t-il alors ?

– Silence, père, l'interrompit Réou, ce n'est pas le moment. Prie plutôt ton Dieu de nous aider, de veiller sur la vie de notre Boaz, s'il est si puissant.

Le jeune homme, encore tout étourdi, se redressait difficilement, tandis que Yaël répétait sourdement, comme une prière :

– Mon fils, mon fils...

Alors que le blessé reprenait lentement ses esprits, Lilith leva la tête vers Saïd, qui la tenait encore embrassée, et découvrit que le jeune homme était très pâle.

– Toi non plus, ça ne va pas, Saïd, lui dit-elle doucement.

– Ma sœur, mon ami... C'est abominable. Je vais voir mon père, il doit apprendre ce qu'il s'est passé !

Réou l'entendit, et s'adressa à lui :

– Très bien, Saïd. Parle avec ton père, il ne sait pas vraiment qui est Shani, il n'a pas voulu cela – je ne le pense pas !

Puis, se tournant vers sa bru, qui était sur le point de rentrer chez elle :

– Mariam, parle aussi à Gomer. Raconte-lui comment agit son « ami ». Avner a raison, mais en partie seulement. La violence n'est pas encore partout. Tout le monde n'est pas comme ce Shani de malheur. Je l'espère du moins, ajouta-t-il à voix basse.

Il reprit, sur le même ton soucieux :

– Mon fils se trompe en faisant confiance à ce scélérat. Qu'il nous vienne en aide ! Il faudrait peut-être aussi dénoncer Shani auprès de Nemrod ? continua-t-il à l'adresse des autres. Pensez-vous que le chef se rende compte des forfaits commis par son entourage ? Peut-être est-il trompé, trahi ?

Tous se taisaient et écoutaient, indécis. Avner prit un instant de réflexion avant de répondre :

– Mariam va parler à ton fils, et saura faire appel à son cœur et à sa raison. Espérons qu'il entendra ! Et Saïd fera de même avec son père. Les choses changeront sûrement si les Coordinateurs s'en mêlent aussi.

Les deux interpellés hochèrent la tête en signe d'assentiment.

– Mais pour Nemrod... poursuivit Avner. Il est le chef, il n'ignore certainement pas ce qu'il se passe autour de lui.

Mariam sortit rapidement avec son fils ; Saïd salua, mécaniquement :

– Notre Volonté – Une...

Mais, la gorge soudain nouée, il ravala la sempiternelle formule et se contenta d'un simple geste à la cantonade avant de sortir.

CHAPITRE 8

ACCIDENTS

La Tour avait encore grandi de deux étages en quelques saisons.

Nemrod et son Conseil avaient trouvé un bon moyen de faire avancer plus vite les travaux de maçonnerie : travailler la nuit. Bien sûr il fallait prévoir des luminaires, car on ne pouvait se contenter de la clarté lunaire – surtout quand l'astre se réduisait ou disparaissait totalement du ciel. Il suffirait de fabriquer des lampes à huile en quantité suffisante. Et puis, certains travaux plus grossiers que les autres ne demandaient pas qu'on y voie parfaitement.

Shani avait fait approuver cette idée lors d'une

grande assemblée présidée par Nemrod en personne. Les propositions du Conseil avaient été applaudies à grand bruit. Il faut dire que les hommes présents étaient entourés d'un triple cordon d'Exécuteurs, très attentifs à leurs faits et gestes durant toute la réunion. C'était ainsi que se déroulaient dorénavant les assemblées. Malheur à celui qui manifestait quelque mécontentement!

Boaz venait de pénétrer dans la Ville. Depuis qu'il s'était opposé à Shani, il faisait systématiquement partie des équipes de nuit. Ce soir la lune n'était plus qu'un mince croissant, et il avançait presque en aveugle. Malgré sa grande jeunesse – Boaz n'avait guère plus de dix-sept ans –, il marchait d'un pas lourd. Une main sur son épaule, une voix connue lui firent lever la tête.

– Boaz, c'est moi, Saïd!

– Saïd! Quelle surprise! Notre Volonté – Une Volonté.

L'accueil de Boaz était froid, réservé. Depuis le fameux soir où Tsilla avait été enlevée sous ses yeux, Boaz s'était replié sur lui-même et, la jeune fille n'ayant jamais réapparu, il avait cessé de voir son ancien ami, lui avait même refusé l'entrée de la tente.

Celui-ci ne se laissa pas démonter pour autant.

– Je me suis éclipsé un peu plus tôt, pour être sûr de te trouver en chemin. Ça suffit, j'en ai assez de cette brouille ! Contrairement à toi, peut-être, je n'ai jamais abandonné l'envie de te voir, de vous voir tous. Le rapt de Tsilla m'a révolté moi aussi – mais je ne pouvais abandonner mon père, même s'il n'a rien fait pour libérer Tsilla. Que veux-tu ? Il n'a jamais été le complice de Shani, il était simplement flatté d'avoir été choisi. Et puis, il appartient à cette catégorie d'hommes qui n'imaginent pas que les femmes puissent avoir leur mot à dire ! Ce n'est pas comme chez vous...

Saïd poursuivit, sans distinguer le sourire amer de son interlocuteur.

– Il n'avait que Shani en tête, il a longtemps refusé de voir l'évidence, tu comprends ? Mais depuis que cet odieux bonhomme enferme Tsilla...

– « Enferme » ? demanda Boaz, retrouvant la parole dès qu'il s'agissait de Tsilla. Mais je ne savais pas ! Personne ne m'a rien dit !

– Qui te l'aurait dit ? Tu ne voulais pas me voir... Je m'en suis rendu compte quand Shani s'est mis à repousser nos visites à plus tard, sous des prétextes divers. Ce sont des mensonges, j'en suis sûr, il la garde prisonnière ! Elle doit dépérir, elle a peut-être même tenté de s'enfuir, il la punit sans doute...

La voix et les suppositions de Saïd disaient assez son désespoir.

– Et ton père ? lança violemment Boaz. Qu'est-ce qu'il attend pour agir ?

– Et ton frère, rétorqua Saïd, les larmes aux yeux, il ne pouvait pas t'aider, lui? Il est pourtant si proche de Nemrod!

Saïd venait de toucher un point sensible : Boaz avait en effet supplié son aîné d'essayer de faire libérer Tsilla. Or Gomer, non content de refuser son appui à son frère, lui avait répliqué que Shani n'avait commis aucun crime, qu'il était même dans son droit, et qu'il avait bien fait de forcer Tsilla à le suivre puisqu'elle lui avait été promise! Une violente querelle s'en était suivie, les deux frères avaient failli en venir aux mains, et, depuis, Boaz avait définitivement rompu avec Gomer. Voyant la mine blessée de son ami, Saïd se repentit aussitôt de s'être laissé emporter.

– Excuse-moi, ne fais pas attention à ce que je dis! Mais tu as l'air d'oublier que Shani est ministre! Tu sais que ce n'est pas facile de s'opposer à lui. Mon père a envoyé une supplique à Nemrod en personne, mais il n'a jamais réussi à obtenir une entrevue.

Boaz laissa échapper un gémissement sourd.

– On ne peut rien pour elle, alors?

– J'ai bien peur que non, dit Saïd d'une voix triste. Mon père a démissionné de son poste de Coordinateur, mais ça ne l'a pas rendu plus heureux.

Boaz ne répondit rien. Le silence se prolongeant, Saïd finit par demander timidement :

– On ne pourrait pas être à nouveau amis?

– Et se voir quand ? Où ? rétorqua Boaz avec désespoir. Comme maintenant, dans la rue, avec les Exécuteurs qui font leur ronde pour punir les flâneurs ? Tu voudrais venir chez moi ? Mon père aussi, il y a bien longtemps, a eu l'idée saugrenue d'aller se plaindre de Shani auprès de Nemrod – malgré les avertissements d'Avner ! Il a beau être vieux, mon grand-père, c'est encore lui qui avait raison : aujourd'hui, notre tente est comme pestiférée, tous les gens sensés l'évitent.

Saïd allait répondre, mais les deux jeunes gens, immobiles depuis un certain temps, avaient fini par attirer l'attention d'une escouade d'Exécuteurs. Ils les virent brusquement surgir près d'eux, brandissant leurs gourdins.

– Eh bien, petits voyous ! Vous croyez que la Construction Commune va vous attendre ? Notre Volonté – Une…

Les deux amis ne se le firent pas dire deux fois, et s'éloignèrent à toute allure, chacun de son côté.

Quand Boaz arriva à son poste, légèrement en retard, il découvrit son équipe en pleine effervescence ; quatre Exécuteurs étaient là, devant lesquels s'agitaient et criaient quelques ouvriers.

– C'est lui, c'est lui, je l'ai vu jeter les briques, criait un homme, désignant d'un doigt accusateur un deuxième ouvrier, livide.

– Le lot de briques était posé en équilibre instable, j'en suis témoin, affirmait un autre, qui faisait ordinairement équipe avec Boaz. Les briques sont tombées, il ne l'a certainement pas fait exprès !

– Vous voyez, j'y suis pour rien ! se défendait l'accusé, la voix étranglée, le visage tordu de crainte.

– Mais si, puisque j'vous dis que j'l'ai vu ! hurlait le premier, haineux. J'vous l'jure par Notre Volonté !

– C'est vrai, les briques ont glissé ! Personne n'aurait pu les attraper ! insista l'équipier de Boaz.

– Et puis on n'y voit rien quand il fait nuit, murmura timidement un quatrième homme – heureusement pour lui, personne ne l'entendit, car cela aurait pu être considéré comme une critique des décisions du Conseil.

Mais les Exécuteurs étaient à la recherche d'un coupable, et puisqu'ils en avaient trouvé un, ils n'écoutaient plus. Le reste n'était à leurs yeux que détails sans intérêt. Deux d'entre eux saisirent chacun par un bras l'accusé et l'entraînèrent, sourds à ses cris et à ses plaintes. Les deux autres, à grand renfort de coups, renvoyèrent au travail les spectateurs du drame.

Grâce à l'incident, le retard de Boaz était passé inaperçu. Mais cela ne le rendit pas joyeux pour autant. Qu'allait-il advenir du malheureux ? Il allait être condamné, c'est sûr. Pour le moins à des coups de fouet ou de bâton. À mort, peut-être ?

Boaz eut un long frisson.

Sans un mot, il attrapa le seau de bitume que lui passait son équipier. Dans la semi-obscurité, il crut entendre celui-ci pousser de profonds soupirs. Il se souvint alors que cet homme était le cousin du prétendu coupable. Mais il fit comme si de rien n'était. Si jamais l'autre, l'accusateur si hargneux, les voyait parler ensemble au lieu de travailler, il était capable de les dénoncer !

À l'aube, sur le chemin du retour, Boaz longeait la Tour quand il croisa une équipe de nettoyeurs qui achevait son travail, sous la surveillance de deux Exécuteurs. Les travailleurs balayaient soigneusement le sol, afin d'en effacer toute trace de sang. Un homme avait dû tomber de là-haut. À moins qu'il ne se soit lui-même jeté dans le vide ? Il avait entendu dire que c'était de plus en plus fréquent : la vie était devenue si désespérante ! Comme il était très mal vu de se préoccuper des morts, Boaz se contenta de jeter un rapide coup d'œil sur le corps sanglant, jeté en travers de l'âne des nettoyeurs. Une secousse le parcourut, il avait eu l'impression de reconnaître son frère ! Il s'arrêta, releva la tête, mais déjà un des deux Exécuteurs s'avançait vers lui, menaçant. Il partit en courant, il avait eu le temps de voir le cadavre : il s'était trompé. Malgré sa rupture avec Gomer après leur altercation, l'imaginer mort avait été pour lui comme un coup de poignard.

Du coup, il se sentait infiniment plus léger quand il croisa Yoqtân, à la porte de la Ville. L'ami de son père affichait toujours son air réjoui, qui s'accentua à la vue de Boaz.

– Quoi de neuf, ami ? lui dit-il. Je vois l'ombre d'un sourire sur ton visage, c'est un grand jour !

– C'est un grand jour, en effet : mon maudit frère n'est pas mort et j'ai revu Saïd !

Yoqtân avait appris le drame qui avait frappé Boaz et l'isolement dans lequel il s'était enfermé. Et même s'il ne partageait pas la méfiance de Réou et de son fils vis-à-vis du pouvoir, il ne pouvait s'empêcher de les plaindre et leur gardait son amitié.

– Tu fais semblant de prendre ces retrouvailles à la légère, Boaz, mais je suis sûr que cela te fait réellement plaisir, et c'est tant mieux ! Notre Volonté – Une Volonté ! Et le travail, pas trop pénible la nuit ?

– Comme d'habitude, répondit Boaz avec un humour grinçant. Un homme de mon équipe a été arrêté et emmené par les Exécuteurs pour avoir laissé tomber des briques. Un autre est mort, non loin d'ici. Et son corps est déjà balayé, comme un détritus. Des briques brisées, c'est un crime ! Mais un homme mort, ça ne compte pas, il y en a tant d'autres qu'on peut aller chercher pour le remplacer !

À la fin de ce bref réquisitoire, Boaz avait les yeux brillants, et, d'une voix fiévreuse, il déclara soudain :

– À toi je peux bien le révéler : je vais partir d'ici, fuir bien loin ! Mais d'abord, je dois retrouver Tsilla.

Avant que Yoqtân ait pu dire un mot, il s'éloigna d'un pas rapide et décidé.

CHAPITRE 9

MENACES

— **J**e suis venue te prévenir, grand-père. Nous partons. Pour toujours.

Lilith se tenait devant Avner. Quelques jours à peine venaient de s'écouler depuis que Boaz avait pris la même décision. La jeune fille n'était pas seule, quelqu'un se tenait à côté d'elle, qu'Avner, à contre-jour, distinguait mal. La silhouette fit deux pas en avant, et Avner reconnut Saïd.

— Toi ! s'exclama le vieillard, stupéfait. Tu t'en vas aussi ! Tu devrais bien la raisonner, au lieu de te laisser entraîner par cette gamine !

— Je ne m'en vais pas définitivement, vénérable

Avner, répondit Saïd sans sourire, mais je ne la retiendrai certainement pas : c'est « la gamine » qui voit juste. La Ville est devenue le dernier endroit où l'on puisse avoir envie de vivre. N'est-ce pas ce que tu disais toi-même ?

Avner acquiesça d'un signe de tête. Lilith intervint avec véhémence :

– Ose me dire que j'ai tort ! Maintenant on réquisitionne même les femmes et les enfants pour travailler sur la Tour ! Les hommes meurent sur les échafaudages ! Des filles de plus en plus jeunes se font enlever par les Exécuteurs, qui sait ce qui leur arrive ? Je devrais rester, subir le sort de Tsilla ?

– Ne t'inquiète pas, Avner, reprit Saïd sur un ton protecteur, je vais faire un peu de chemin avec elle et ses amis, pour m'assurer qu'ils ne courent aucun danger. Ensuite je reviendrai. Je pense que Boaz aura besoin de moi pour arracher ma sœur aux griffes de Shani. Dis-lui bien de m'attendre, s'il te plaît.

Avner considérait sa petite-fille, comme s'il voulait graver son image dans son cœur. Lilith ressemblait plus que jamais à un cabri, son regard brun ne se dérobait pas, et elle semblait prête à affronter le monde entier. Le grand-père s'attendrissait à la voir ainsi, volontaire et fragile. Qu'aurait-il pu rétorquer ? Que lui-même serait bien parti aussi ? Mais c'était à la jeunesse de se tourner vers l'avenir. Un appel retentit : dehors, on distinguait cinq silhouettes, les amis que Lilith attendait. D'anciens membres de la petite bande, plus tout à fait des enfants, pas encore des adultes.

– On arrive, leur cria Saïd, laissez-nous remplir une besace !

Alors que les jeunes gens ramassaient les quelques objets qui leur seraient nécessaires dans les prochains jours, une secousse les surprit.

– Qu'est-ce que c'est ?

– Quelque chose a heurté la tente ?

Non loin d'eux, Avner se redressait péniblement : la secousse l'avait fait tomber. Alors qu'il reprenait ses esprits, une seconde convulsion, plus forte que la première, fit de nouveau vaciller Saïd et Lilith sur leurs jambes. Ils se regardèrent, inquiets maintenant. Au-dehors, le chuchotis du vent se mit à enfler, son souffle faisant onduler les parois de la tente.

– Grand-père, que se passe-t-il ?

Avner se tenait la tête entre les mains. La terre trembla une troisième fois ; il releva le front ; ses prunelles dilatées lui faisaient un regard noir, halluciné.

– Dieu est en marche ! C'est son pas qui ébranle la terre, j'en suis sûr. Il vient voir ce que font ici les hommes !

– Alors, ne tardons pas davantage, dit Saïd d'un ton décidé. Veux-tu venir avec nous, Avner ?

– Non, les enfants, non. Vous n'allez pas vous

encombrer d'un vieillard comme moi. Et en restant ici, je peux protéger votre fuite. Mais allez plutôt vers les hauteurs, pensez au Déluge !

Ils sortirent de la tente rejoindre leurs compagnons et restèrent un bon moment sur place, le souffle coupé, les yeux écarquillés de surprise et de peur. Le vent sifflait rageusement, de gros nuages noirs couraient dans le ciel. Lilith et son grand-père s'étreignirent une dernière fois, puis la petite bande s'éloigna vers les marais.

Avner, les yeux plissés, regardait les femmes qui rentraient en toute hâte, courbées sous le vent, traînant ou portant leurs enfants. Il reconnut bientôt Yaël et Mariam qui revenaient des champs. Mais qui d'autre encore approchait ? Ces silhouettes massives... Oui, c'étaient bien des Exécuteurs. « Que nous veulent-ils encore, ceux-là ? » grommela le vieillard.

Parvenus devant Avner, les hommes s'immobilisèrent, insensibles au vent qui pourtant s'intensifiait de minute en minute, et le détaillèrent des pieds à la tête.

– Salut, vieillard. Notre Volonté – Une Volonté ! Nous avons besoin d'auxiliaires pour la Construction Commune. Toi, tu ne fais pas l'affaire, tu es trop vieux. N'y a-t-il personne d'autre ici ? On nous avait parlé de plusieurs femmes...

– Il n'y a pas de femmes ici, répondit Avner, enflant

la voix dans l'espoir de se faire comprendre de sa bru qui arrivait. Non, aucune femme ici !

Il faisait de grands gestes des bras, pour attirer l'attention de Yaël ou de Mariam. Mais le vent soufflait si violemment qu'on ne pouvait l'entendre et ses gesticulations n'étaient guère visibles pour les deux femmes qui marchaient en courbant la tête. Heureusement pour elles, les Exécuteurs ne les avaient pas aperçues. À voir ses mouvements désordonnés, ils durent même imaginer qu'Avner était fou, à moins qu'ils n'aient eu envie de fuir et se mettre à l'abri des menaces du ciel. Toujours est-il qu'ils tournèrent le dos sans poser d'autre question, et s'éloignèrent rapidement vers la Ville. Avner, malgré la tempête imminente, eut un sourire satisfait.

La bande de Lilith progressait à travers les roseaux ; les longues tiges s'écartaient souplement et se rejoignaient aussitôt sans laisser de trace de leur passage. Seuls des oiseaux auraient pu les repérer. Malgré tout ce qu'Avner leur avait raconté à propos du Déluge, ils n'avaient toujours pas peur de l'eau : ils connaissaient si bien les abords des fleuves ! Ils s'enfonçaient dans la zone des marais, toujours plus loin de la Ville.

Ils atteignirent bientôt l'abri qu'ils s'étaient construit quand, plus jeunes, ils venaient jouer là : sur une petite éminence qui leur garantissait un sol sec, ils s'étaient fait avec les tiges de roseau une espèce de tente, basse mais large, utilisant le même matériau pour les parois et pour le sol. Ils eurent tôt fait de la remettre en état. C'était rudimentaire, mais ils s'y sentaient en sécurité.

Accroupis à l'intérieur, ils se regardèrent un long moment, détaillant les griffures qui marquaient leurs visages et leurs membres, leurs cheveux emmêlés par le vent, et se sourirent, enfin délivrés de l'inquiétude qui les taraudait jusque-là. Mais ce n'était pas fini, et un coup de tonnerre les précipita dans les bras les uns des autres.

Yaël et Mariam avaient enfin rejoint Avner sous la tente et, encore essoufflées, réconfortaient les petits, étourdis par le vent. Mariam donnait le sein à son nouveau-né, une fillette aux cheveux pâles, qui gémissait encore par intervalles, tandis que Yaël avait placé d'autorité son petit-fils dans les bras d'Avner.

– Tiens, grand-père va te chanter une belle chanson, dit-elle à l'enfant. Moi, je dois mettre le troupeau à l'abri.

Et elle sortit affronter de nouveau la bourrasque pour rassembler le petit bétail devenu nerveux.

– Avner, que va-t-il advenir de nos hommes ? interrogeait pendant ce temps Mariam, anxieuse. Je n'ose pas rentrer seule à la Ville avec les enfants.

– Reste avec nous, Gomer pensera bien à venir te chercher ici, non ? Quand je pense, ajouta Avner en serrant son arrière-petit-fils contre son cœur...

– Oui ? Continue, grand-père.

– Gomer ne nous accorde plus aucune considération, Boaz se ronge les sangs sans sa Tsilla, et maintenant... Lilith est partie !

– Quoi ? s'exclama Mariam.

– Saïd l'accompagne, heureusement. Je dois avertir leurs parents, qu'ils ne s'inquiètent pas. Mais maintenant c'est moi qui suis inquiet, et pas seulement pour les enfants !

Dehors le vent hurlait, se déchaînait, tordait les arbres, emportait avec lui les toits des huttes...

CHAPITRE 10
INTERVENTION DIVINE

A u même moment, dans la Ville et sur la Tour, l'orage éclatait, zébrant le ciel noir de lueurs bleuâtres. La pluie se mit à tomber à verse.

Les ouvriers ramassèrent en hâte leurs outils, s'interpellant de loin :

– Ապագագրու !

– Σιγουρευτείτε !

Dans le vacarme ambiant, personne ne remarqua d'abord ce qui se produisait.

Les premiers touchés furent les briquetiers. Ils devaient protéger les briques crues, que la pluie allait rapidement transformer en boue. Yoqtân, qui travaillait à ce poste depuis plusieurs semaines, se tourna vers le plus proche de ses équipiers et lui cria :

– 快点！我们得把砖盖上！

L'autre ouvrit de grands yeux et demanda :

– ?וואָס זשע דערצײלסטו

Yoqtân répondit avec impatience :

– 不要再讲这些蠢话了；正常点讲话！

L'autre arrêta un troisième homme qui s'éloignait pour se mettre à couvert et lui demanda :

– צי פֿאַרשטייסטו וואָס ער זאָגט?

L'homme prit la fuite en hurlant :

– რეებს ზომდავ? დამანებე თავი! მიშველეთ !

Yoqtân et son équipier s'entre-regardèrent avec de grands yeux incrédules ; ce dernier demanda doucement :

– יקטן, ווי גייט עס דיר?

– 你就不能换个方式 讲话吗？

Tous les deux articulaient avec application, mais rien à faire, ils ne se comprenaient pas, et la peur gagnait.

C'est à ce moment qu'un Exécuteur arriva, menaçant, gourdin à la main.

– За работу ! Покройте кирпичи !

Les trois hommes formaient un triangle, chacun considérait tour à tour les deux autres, les ouvriers de plus en plus affolés. L'équipier de Yoqtân tourna brusquement le dos et s'enfuit en courant :

– גוואלד! גוואלד!

Yoqtân voulut l'imiter, mais trop tard! L'Exécuteur avait levé son gourdin sur le premier fugitif, mais c'est le malheureux Yoqtân qui prit le coup. Il s'écroula à terre en hurlant, l'épaule brisée. Un deuxième Exécuteur arriva à cet instant et demanda au premier:

– Τι γίνεται?

L'autre, qui ne comprenait rien, répondit en brandissant son arme:

– Перестань издеваться надо мной! Перестань, а не то тебя тоже палкой по башке стукну!

– Με απειλείς? Τώρα θα δεις τι θα πάθεις!

Yoqtân, affolé de souffrance et de peur, vit les deux Exécuteurs échanger des coups jusqu'à ce que l'un d'eux s'effondre à son tour, tandis que l'autre, couvert de sang, partait en boitant.

Cette scène se répétait à tous les coins de la Ville. Ce n'étaient partout que cris et drames.

Sur la rampe d'accès, Shani, qui venait inspecter cette partie du chantier, se retrouva ainsi au beau milieu d'une altercation entre ouvriers et Exécuteurs. Pris à partie par les uns et les autres, incapable de comprendre ni les uns ni les autres, il finit par se montrer menaçant. Dans cette atmosphère tendue à craquer, cette réaction lui fut fatale. De nouveau unis face à celui qu'ils considéraient maintenant comme un ennemi, les Exécuteurs se jetèrent sur lui, tandis que les maçons en profitaient pour se ruer au bas de la rampe et prendre la fuite. Shani, roué de coups, ne survécut pas à cette brusque révolte.

Il ne fut pas seul dans son cas, et plusieurs Coordinateurs eurent à souffrir de leurs Exécuteurs ou des ouvriers. Comme si l'incompréhension qui régnait brusquement sur le chantier ouvrait les vannes de toutes les colères, donnait libre cours à une agressivité longtemps contenue. Les mots étant inopérants, les hommes avaient recours à la violence.

La situation n'était pas plus facile pour les simples ouvriers. Yoqtân attendit d'avoir recouvré ses esprits, et se redressa tant bien que mal. Soutenant son épaule abîmée, il se mit en marche vers sa hutte, de l'autre côté de la porte du Soleil. Des ouvriers, comme lui, se dirigeaient vers les portes de la Ville, soit en courant, soit en boitillant ou en se traînant quand ils étaient légèrement blessés. Personne ne s'arrêtait pour vérifier si les corps allongés au sol, parfois dans des positions étranges, étaient des cadavres, ou des blessés qu'on aurait pu secourir.

Juste avant d'arriver à la porte, Yoqtân aperçut Réou qui lui aussi s'apprêtait à quitter la Ville, et l'interpella :

– 乐偶，你也是，你也走吗？

Réou se retourna, il avait entendu son nom. Mais

il ne comprenait pas le reste. C'est avec une immense tristesse qu'il répondit :

– يقطان، أنت أيضا، لا أستطيع أن أفهمك! كيف سنصبح؟

– 乐偶，我知道你还理解我，可是我却读不懂你了。比别人更读不懂你。

– و مع ذلك نحن أصدقاء!

Les deux amis s'écoutaient désespérément, mais cela ne suffisait pas pour se comprendre. Réou voulut étreindre Yoqtân, mais l'autre recula, indiquant son épaule endolorie. Réou retint son élan. Il avait saisi, mais que pouvait-il dire ? Il eut un grand geste des bras pour montrer son désarroi. Les deux hommes allaient dans des directions différentes. Comment se retrouver, se proposer un rendez-vous ? Ils ne pouvaient qu'espérer ne pas rester seuls, chacun enfermé dans sa nouvelle langue. S'ils pouvaient au moins être compris de leurs proches !

Les deux amis tentèrent de se sourire, de se manifester leur affection, mais l'un comme l'autre étaient trop abattus pour effacer les marques de leur angoisse. Avec un dernier signe, ils se détournèrent, et s'éloignèrent vers leur lieu d'habitation.

Au bout de quelques pas, Réou vit arriver Gomer qui courait en jetant fréquemment des coups d'œil par-dessus son épaule. Comme s'il craignait d'être suivi. Il avait sans doute eu affaire à ses Exécuteurs, ou à des ouvriers affolés !

‏– غمير! غميييير!

Le jeune homme se retourna, reconnaissant à peu près son nom.

– 父さん！何処-に行くの？何-が起きてるの ？

Réou éclata en sanglots ; il ne comprenait pas son fils ! Son propre fils !

Gomer étreignit son père avec désespoir. Toute sa superbe venait de s'écrouler, personne ne lui obéissait plus, personne ne lui répondait plus ! Il avait tant besoin de se rassurer, de se raccrocher à quelqu'un ! Fût-ce à ses parents, à ses yeux quantité négligeable la veille encore...

Quand il entendit Réou gémir entre deux sanglots :

‏– انا... لا... أفهمك.

Gomer poussa un cri de bête blessée. Il ne comprenait pas davantage !

–どうなるのですか ？

L'orage avait cessé, mais personne ne s'en rendait compte...

Au même instant, dans la Ville, Boaz marchait à contre-courant. Alors que tous fuyaient vers les portes, lui remontait, en direction... de la demeure de Shani.

Cela faisait quelques jours qu'il guettait la maison de son ennemi – depuis qu'il avait appris par Saïd que Tsilla vivait enfermée. Jamais il ne l'avait vue sortir, mais il revenait, espérant toujours. Il ne savait rien du sort de Shani, battu à mort par ses propres Exécuteurs. Pourtant, quand il avait vu le flot humain qui s'échappait de la Ville, il avait compris que l'heure tant attendue était enfin arrivée. Si Tsilla était encore en vie, il la retrouverait !

Il entendait autour de lui des paroles et des cris incompréhensibles, mais il n'y prêtait pas attention. Que lui importait ? Seule comptait Tsilla..

Il avait vu juste. Parvenu devant la maison de Shani, il trouva la porte grande ouverte. Une femme en sortait, titubant comme si elle venait seulement de recouvrer l'usage de ses jambes.

– צָילָה !

C'était bien elle ; pâle, amaigrie, certes, mais c'était elle, Boaz l'aurait reconnue entre mille. Il la reçut dans ses bras, tous deux riant et sanglotant en même temps.

– मेरा प्यार, मेरी जान, मेरी प्यारी प्यारी...

Boaz sourit au milieu de ses larmes : il ne comprenait rien à ce que lui disait sa bien-aimée, mais elle était là, dans ses bras, et sa voix lui était une caresse !

Les deux jeunes gens s'enlacèrent et prirent heureux le chemin des portes, abandonnant les murs et la Tour qui avaient fait leur malheur.

CHAPITRE 11

SAUVE QUI PEUT !

Réou et Gomer arrivèrent ensemble sous la tente, muets, comme séparés par un mur. Chacun espérait et craignait tout à la fois y retrouver les membres de leur famille. C'est un étrange spectacle qui les accueillit. Mariam, réfugiée au fond de la tente, serrait ses enfants entre ses bras. En face d'elle, Yaël, silencieuse, gesticulait bizarrement. Quant au grand-père, la tête dans ses mains, il semblait effondré.

L'éclosion soudaine des langues avait eu lieu ici aussi, et aucun des trois ne comprenait plus l'autre.

Yaël, une fois la première surprise passée, essayait, à l'aide de gestes et de mimiques, de rassurer Mariam. Mais la jeune femme, terrorisée, tenait ses deux enfants embrassés contre elle, comme pour les protéger de leur grand-mère et de leur aïeul. À la vue de Gomer, elle se leva avec précipitation, mais retint son élan, incapable d'articuler un mot. Et si, lui non plus, elle ne le comprenait pas ? Il pouvait se montrer si dur, même avec elle ! Toutes ses craintes se réalisèrent quand Gomer ouvrit la bouche. Non seulement il parlait une langue inconnue, mais, voyant qu'elle ne comprenait pas, il éleva la voix. Aussitôt, la jeune femme se mit à hurler, les enfants éclatèrent en sanglots. Gomer hors de lui se précipita vers eux, la main levée pour frapper. D'un même mouvement, Réou et Yaël s'interposèrent. Yaël tomba sous le choc, Gomer trébucha lui aussi. Il n'en fallut pas davantage à Mariam pour s'échapper, ses enfants dans les bras.

Tandis que Réou aidait Yaël à se mettre debout, Gomer se releva d'un bond. Il courut dehors, regarda de tous côtés, en vain : Mariam et les enfants s'étaient fondus dans la foule qui continuait à s'écouler hors de la Ville. Il resta ainsi un bon moment, prêt à s'élancer. Mais dans quelle direction ? Sans compter que maintenant il se méfiait de cette foule qui n'obéissait plus à rien... Anéanti, il revint lentement vers la tente, considéra son père bouleversé, sa mère en larmes.

C'était à cause d'eux qu'il avait perdu sa famille, ce n'étaient plus que des étrangers pour lui ! Sa vraie famille, c'était Shani, c'était Nemrod…

Sans un mot, il tourna le dos à ses parents et prit le chemin de la Ville.

Dans le silence revenu, Réou séchait avec délicatesse les larmes de Yaël quand un son mélodieux interrompit ces tendres retrouvailles : Avner avait pris sa flûte et chantait pour eux. Comme ils l'avaient fait si souvent auparavant, tous deux s'assirent près du vieillard et écoutèrent attentivement sa voix expressive, ponctuée par les notes légères de la flûte. La paix était de retour sous la tente, comme aux meilleurs jours du passé. Avner leur contait une histoire gaie, à entendre le son joyeux de l'instrument. Ni Réou ni Yaël ne saisissaient le moindre mot, mais la langue d'Avner roulait et roucoulait, et l'eau d'une rivière coulait allègrement sur les galets, l'herbe ondulait sur les berges, les oiseaux sifflaient dans les buissons. Le désastre de la Ville était loin d'eux. Quand la flûte se tut, Réou ouvrit enfin la bouche :

– Merci, père, merci de ce chant de consolation !

– Réou ! s'exclama Yaël, Réou, je comprends ce que tu dis ! Nous sommes sauvés !

– Yaël, ma femme, ma compagne de si longtemps, parle encore, parle-moi !

– Oui, mon époux, oui, je suis là et je te parle, encore et toujours.

Le sourire de Réou se mua en un rire joyeux. Tous deux ne prononçaient pas tous les mots de la même façon, mais qu'importait ? Ils se comprenaient !

Avner en revanche, les considérait l'un et l'autre avec un sourire triste. Lui ne devinait que le principal : Dieu les avait épargnés ! Il se prosterna, fit signe au couple de l'imiter, et s'adressa à Dieu :

– Merci, ô Dieu, merci de nous avoir laissé la vie ! Tu as condamné la Ville en nous donnant des langues différentes, Tu l'as fait pour nous obliger à la quitter, à partir. Bien sûr, c'est douloureux pour ceux qui s'aimaient et ne se comprennent plus, mais Tu nous indiques le chemin à suivre. Prions pour que cette fois les hommes T'entendent ! Que Ta volonté s'accomplisse !

Son fils et sa belle-fille ne comprenaient rien, si ce n'est qu'il était en train de prier. L'exemple du vieillard était bon à suivre : n'était-il pas le seul à avoir pressenti les maux qui naîtraient de la Ville ? Aussi se mirent-ils à prier, comme Avner, demandant à Dieu de protéger leur route, puisqu'ils allaient partir, et de protéger leurs enfants, dont ils n'avaient aucune nouvelle.

L'intervention divine ne s'était pas limitée à la Ville : elle s'étendait à tout le pays de Shinéar. Dans la tente de roseaux, Lilith et ses amis s'étaient d'abord regardés avec méfiance, puis hostilité, et le groupe avait fini par se scinder. Après l'orage, Lilith avait repoussé Saïd et s'était rapprochée de Noam, l'un des plus jeunes garçons, qui parlait la même langue qu'elle ; ensemble ils réussiraient bien à trouver d'autres personnes avec qui s'entendre, avec qui voyager !

De son côté, Saïd était resté désemparé. Que devait-il faire ? Pourrait-il retrouver Boaz et Tsilla, comme il le projetait ? Et qu'était-il advenu de son père ? De ses frères ?

Il se résolut à repartir vers le quartier des tentes. Il verrait bien là-bas quelle décision prendre !

À quoi bon rester dans cette tente devenue bien trop grande pour trois ? Réou et Yaël se mirent à empaqueter tapis et ustensiles, à les charger sur le dos des ânes. S'il n'y avait eu l'obstacle de la langue, Avner aurait volontiers pris la route avec eux. Il avait tellement souffert d'être obligé de se fixer dans ce maudit pays ! Mais voyager avec ces gens dont il ne comprenait pas la langue ? Bien sûr, il s'agissait de son fils et de sa belle-fille, des personnes qu'il aimait, qu'il estimait. En cet instant Avner se sentait si vieux, si fatigué !

Il refusa les offres répétées de Yaël et de Réou de partir avec eux, et leur fit signe de s'éloigner, de le laisser ici, seul. Ceux-ci se désespéraient, n'imaginant pas de quitter le vieillard : ils avaient l'impression de l'abandonner !

Yaël et Réou n'arrivaient toujours pas à se décider, quand un appel retentit à l'extérieur :

– Réou ! Avner !

– Saïd ! C'est toi qui es là ? s'exclamèrent les deux hommes, chacun dans sa langue.

Saïd entra, circonspect.

– J'ai compris l'un de vous deux, mais lequel ?

– C'est moi, répondit Avner en riant. Nous parlons la même langue !

Et il embrassa le jeune homme avec reconnaissance. Enfin quelqu'un avec qui il pouvait échanger ! Puis, soudain inquiet :

– Et Lilith ? Elle n'est pas avec toi ? Tu devais veiller sur elle !

– Quand nous nous sommes mis à parler des langues différentes, répondit Saïd, amer, elle n'a rien voulu entendre ! Elle m'a rejeté, comme si elle avait quelque chose à craindre de moi ! Elle est partie avec le petit Noam, le fils de Gad. Ils parlaient la même langue.

– Il faut croire que c'était le dessein de Dieu, dit Avner, pensif. Tant qu'elle est en vie !

Yaël avait bien saisi le nom de Lilith, et Avner s'employa par gestes à la rassurer. Puis il revint vers Saïd :

– Et Boaz ? Tsilla ? Ton père ? Tu as aussi de leurs nouvelles ?

Mais Saïd n'avait retrouvé personne, et était parti

à la recherche de ses voisins en dernier lieu. Alors, se tournant vers son fils, Avner lui expliqua :

– Avec lui, je peux partir ! Avec lui, je ne serai pas perdu ! Et si nous sommes déjà deux à parler une même langue, on peut espérer que nous serons encore plus nombreux ! Nous ferons route ensemble.

Saïd approuva énergiquement, tandis que Réou retrouvait le sourire. Même s'il ne comprenait pas les mots prononcés, il avait saisi le sens général du discours de son père !

Boaz et Tsilla avaient fui les chemins empruntés par la foule et s'étaient dirigés vers la solitude des roseaux. Là, par une merveilleuse coïncidence, ils avaient trouvé une sorte de tente, celle que venaient d'abandonner Lilith et ses amis...

Enfin agenouillés l'un contre l'autre, ils s'étaient long-temps tenus embrassés. Puis doucement, lentement, leurs lèvres, leurs mains s'étaient aventurées à la recherche des mains, des lèvres, du corps de l'autre. Pas besoin de mots en cet instant, pas même besoin d'échanger un regard, leurs caresses mutuelles leur suffisaient.

Longtemps après, ils s'éveillèrent l'un près de l'autre, dans le ravissement.

– Mon chéri, mon doux chéri, dit encore Tsilla.

Les mots ne signifiaient rien pour Boaz, mais le gazouillis de Tsilla était aussi tendre qu'une caresse...

Il tenta, maladroitement d'abord, d'imiter son amie :

– Ssérri, mô dhou ssérri…

Tsilla éclata de rire, et recommença, en articulant bien :

– Mon-doux-ché-ri…

DISPERSION

Les hommes quittaient la ville, abandonnant la Tour inachevée au centre des murailles, laissant Nemrod et ses quelques fidèles dans le palais Capital. Des hommes et des femmes, poussant leurs troupeaux, tirant les ânes chargés de bagages. Certains boitaient, d'autres, comme Yoqtân, avaient le bras en écharpe, on portait tant bien que mal les blessés. Les uns chantaient leur délivrance, d'autres pleuraient ceux qu'ils avaient perdus, d'autres encore retrouvaient, redécouvraient leurs proches, malgré la difficulté d'une langue différente – ou peut-être à cause de l'écoute, de l'effort que demandait la traduction. Avner et Saïd retournaient vers le nord et les montagnes ; Yaël et Réou avaient pris la route du désert, vers la mer du couchant ; Boaz et Tsilla se dirigeaient vers le levant, comme Lilith et Noam qui s'étaient joints à une troupe rencontrée par hasard, et qui parlait la même langue qu'eux ; Mariam, portant ses enfants, marchait avec sa nouvelle tribu vers la mer, au sud, avec l'espoir que le temps adoucirait l'amertume de son cœur.

Toutes ces nouvelles tribus, s'éloignant de la Ville, formaient les multiples branches d'une étoile qui grandissait, grandissait, et s'étendrait un jour prochain à la terre entière ! Soudain, au-dessus d'elles, un immense arc-en-ciel se forma, témoignant de l'assentiment divin.

De temps à autre, un homme regardait en arrière, considérant la Tour inachevée, qui leur avait valu tant de sang et de larmes. Fallait-il regretter cette folle entreprise ? L'enthousiasme qui les avait soulevés au début ? Fallait-il comme Avner bénir Dieu qui était intervenu pour les empêcher d'aller plus haut, plus loin ? Trop haut, trop loin…

Plus tard, beaucoup plus tard, d'anciens bâtisseurs de la Ville voudraient lui trouver un nom. Finalement, ils l'appelleraient Babel, en souvenir de l'inachèvement

de leur entreprise : leur Volonté s'était révélée…
babillage et balbutiement !

Sur la route, les amants, eux, ne se posaient pas tant
de questions. Ils étaient heureux aujourd'hui de regarder dans la même direction, de partir ensemble à la
conquête de la terre, pour y bâtir leur vie.

TRADUCTION DES PHRASES EN LANGUES ÉTRANGÈRES

page 81 :

(en arménien) Dépêche-toi !

(en grec) Tous à l'abri !

page 82 :

(en chinois) Vite ! Il faut couvrir les briques !

(en yiddish) Qu'est-ce que tu racontes ?

(en chinois) Arrête de faire l'imbécile, parle normalement !

(en yiddish) Tu comprends ce qu'il dit ?

(en géorgien) Qu'est-ce que tu racontes ? Lâche-moi ! Au secours !

(en yiddish) Yoqtân, ça va ?

(en chinois) Tu ne peux pas parler autrement ?

(en russe) Au travail, vous deux ! Couvrez ces briques !

page 83 :

(en yiddish) Au secours ! Au secours !

(en grec) Que se passe-t-il ?

(en russe) Arrête de te moquer de moi ! Arrête, ou j'abats ce gourdin sur ton crâne aussi !

(en grec) Tu me menaces ? Tu vas voir !

page 84 :

(en chinois) Réou, toi aussi tu t'en vas ?

page 85 :

(en arabe) Yoqtân, toi non plus, je ne peux te comprendre ! Qu'allons-nous devenir ?

(en chinois) Réou, je sais que tu me connais encore, mais je ne te comprends pas non plus. Pas plus que les autres.

(en arabe) Pourtant, nous sommes amis !

page 86 :

(en arabe) Gomer ! Gomeeer !

(en japonais) Père ! Où vas-tu ? Que nous arrive-t-il ?

(en arabe) Je ne… te comprends… pas.

(en japonais) Qu'allons-nous devenir ?

page 87 :

(en hébreu) Tsilla !

(en hindi) Mon chéri, mon doux chéri…

NOTE DE L'AUTEUR

Raconter l'histoire de la tour de Babel présentait au moins trois difficultés, que j'ai résolues de la façon suivante.

Personnages et lieux

Dans la Bible*, l'épisode de la tour de Babel n'occupe que neuf versets, pas même le tiers du chapitre 11 de la Genèse*... Aucun personnage n'est nommé dans ce passage. Comment en faire un roman ? En inventant de toutes pièces des personnages, bien sûr. Dans le roman que vous venez de lire, un seul personnage a son origine dans la Bible : Nemrod (Genèse 10). En revanche, les noms de lieux, Babel et Shinéar, sont bien ceux qu'indique la Bible, soit en Genèse 11 (à la fin de l'épisode), à propos de la tour, soit en Genèse 10, à propos de Nemrod.

Cité et gouvernement

Autre difficulté, liée à l'interprétation que l'on fait de cet épisode – interprétation qui a énormément varié au cours du temps : comment naît une cité ? Comment se gouverne-t-elle ? Qui peut bien imaginer l'érection

d'une tour qui irait jusqu'au ciel ? J'ai tranché, et l'évolution « politique » de la Ville, de l'anarchie (absence
de gouvernement) au totalitarisme, est entièrement de
mon invention, même si elle s'appuie sur des commentaires très sérieux (on en aura une idée en lisant le
dossier qui suit).

Irruption des langues

Enfin, comment rendre compte de la multiplica-
tion soudaine des langues et de l'impossibilité pour les
hommes de se comprendre ? Il fallait transposer cette
incompréhension à l'écrit : voilà pourquoi j'ai choisi,
pour le chapitre de l'intervention divine, de faire parler
mes personnages dans des langues dont les alphabets
sont illisibles pour la plupart des lecteurs français ! En
revanche, j'ai généralement conservé la ponctuation
française, pour donner à entendre le ton sur lequel
sont prononcées les phrases en langue étrangère. Bien
évidemment, cela ne signifie pas que l'écriture existait
à cette période (qui, de toute façon, n'a rien d'historique), ni que les langues utilisées dans le roman pouvaient être parlées « à l'époque » : ce sont des langues
actuelles, telles qu'on les écrit aujourd'hui encore...

REMERCIEMENTS

J'aurais été bien incapable, sans aide extérieure, de faire parler mes personnages, au chapitre 10, dans tant de langues étrangères. Je remercie ici toutes celles et tous ceux qui ont participé à ce travail de traduction.

Merci tout particulièrement à Michel Fagard, qui préside et anime l'association Auberbabel, qui milite pour la défense de la diversité linguistique. C'est à lui que je dois les phrases en yiddish, le contact avec les locuteurs d'arménien, d'hébreu et de chinois, et la transcription de toutes ces langues. Qu'il en soit ici chaleureusement remercié !

Merci à Alda Engoian pour le géorgien, à Anne Vantal pour l'hindi, à Asako Matsukawa pour le japonais, à Julie Soukhotina-Madranges pour le russe, à Marie-Odile Hartmann pour le grec, à Nitsan Taub pour l'hébreu, à Riad Benmissi pour l'arabe, à Xue Qiao Yu pour le chinois, à Zinê Mamoian pour l'arménien !

- Le monde de Babel -

POUR MIEUX CONNAÎTRE

LA TOUR DE BABEL

LES ORIGINES DE LA TOUR DE BABEL

Le récit de la tour de Babel se trouve dans le Tanakh (Bible hébraïque), en Genèse 11, 1-9. C'est la tradition chrétienne qui a isolé ce récit de son contexte, en lui attribuant un titre. Pour les juifs en revanche, ce récit appartient à un ensemble qui le rattache à l'histoire de Noé (Genèse 6–11). Cet épisode a donné matière à bien des interprétations et des discussions.

En neuf versets, la Bible nous rapporte comment les hommes, qui alors parlaient une même langue, s'étaient établis au pays de Shinéar et s'étaient proposé de bâtir une ville et une tour de briques. Dieu, ayant constaté que rien n'arrêterait ces hommes unis, décida de confondre leur langage. Il les dispersa alors sur toute la terre et les hommes cessèrent de bâtir la ville. C'est pourquoi on nomma celle-ci Babel (nom mis ici en rapport avec l'hébreu *balal*, « confondre »).

Ce récit, incompatible avec les données de la science, n'a pas valeur historique ; c'est un récit symbolique, à valeur « étiologique », c'est-à-dire qu'il présente l'explication de faits existants.

Ici, la multiplicité des langues, obstacle à la compréhension des hommes entre eux, et la dispersion des hommes dans le monde.

Cette histoire présente une parenté avec certains traits des civilisations de Babylone* et de Sumer. Rien d'étonnant à cela : Babel dans la Bible représente l'antique Babylone.

La tour a sans doute été inspirée par la grande **ziggourat** du temple de Mardouk élevée vers l'an 1100 avant J.-C. à Babylone, décrite par Hérodote (historien grec du Vᵉ s. av. J.-C.) dans ses *Histoires*, I, et dont les ruines ont été découvertes en 1915. Cette ziggourat existait toujours sous Nabuchodonosor II (VIᵉ s. av. J.-C.), et les Juifs en exil l'ont sûrement connue. Les ziggourats sont des sanctuaires en forme de pyramide à étages, au sommet desquelles se trouvait la chambre du dieu.

On trouve aussi, dans un passage de l'épopée sumérienne d'*Enmerkar et le Seigneur d'Aratta* (fin du IIIᵉ millénaire av. J.-C., récemment mise au jour), deux thèmes qui pourraient être mis en rapport avec l'épisode de Babel : unité/confusion linguistique, et intervention divine dans cet état linguistique. Mais on ne peut rien conclure de ce rapprochement.

Pour aller plus loin dans la compréhension du récit biblique, consultons d'abord les commentaires et les récits (*midrashim*, dont l'ensemble forme le Midrash*), réunis dans la littérature rabbinique* dès la chute du second Temple* (70 apr. J.-C.), et qui complètent le Tanakh.

Littérature juive antique et rabbinique

La structure du récit évoque celle que l'on retrouve souvent dans les premiers livres de la Bible (Adam* chassé du paradis*, Déluge) : faute humaine, châtiment divin.

Tout naturellement, la construction de Babel et de sa tour a donc été considérée par le judaïsme comme mauvaise et impie. Il faut croire pourtant que cette impiété n'était pas si claire, puisque les rabbins ont trouvé nécessaire de préciser quelle était la faute humaine.

• **La faute réside surtout dans le dessein** poursuivi par les bâtisseurs : bâtir une ville est en soi suspect. La ville n'est jamais évoquée de façon positive ni dans la Genèse (la première ville a été bâtie par Caïn*), ni dans l'ensemble du Tanakh, où Babylone est le lieu de l'esclavage et de la perdition. Seule Jérusalem, la ville sainte, échappe à ce jugement. N'oublions pas que les Israélites* sont à l'origine un peuple de bergers nomades.

Ils souhaitent aussi ne plus être dispersés, ce qui va à l'encontre de l'ordre divin exprimé en Genèse 9, 1 et 7 : « Croissez et multipliez, et remplissez la terre. »

Quant aux motivations plus ou moins impies qui président à l'édification d'une tour « dont le sommet atteigne le ciel », elles varient d'un commentateur à l'autre :

– Pour les plus indulgents, les hommes ont construit une tour parce qu'ils cherchaient à échapper à un nouveau Déluge, soit en construisant des piliers pour soutenir le ciel et éviter qu'il ne s'effondre à nouveau sur eux ; soit en libérant les cataractes du ciel, à l'aide d'une épée.

– Pour les plus sévères, le but principal des bâtisseurs était de se livrer à l'idolâtrie*, en construisant en haut de l'édifice un sanctuaire, à partir duquel ils pourraient même attaquer Dieu.

D'ailleurs, qui sont ces bâtisseurs ? Ce sont « les hommes », tous les hommes sans doute, puisque le récit de Babel interrompt la généalogie des descendants de Noé et de ses fils, ancêtres des peuples de la terre. Le seul nom qui soit clairement mis en relation avec Babel est celui de Nemrod, petit-fils de Cham, le fils maudit de Noé, en Genèse 10, 8-10. Pour certains, Nemrod est responsable de la construction de la ville, et surtout de la tour. Ce sont ses paroles qui entraînent les hommes dans la première partie du récit.

• **Mais le mode de construction est lui aussi à blâmer :** en effet, les hommes en utilisant briques et bitume délaissent les matériaux naturellement prévus pour la construction, pierre et mortier. D'ailleurs, ils donnent à ces matériaux une importance démesurée. Du coup, ajoutent certains commentateurs, ils privilégient la matière aux dépens de l'esprit et même de la vie humaine, qui perd toute valeur, devenant bien moins précieuse qu'une simple brique !

En outre, le fait d'entasser brique identique sur brique identique apparaît comme un travail répétitif, tel un travail d'esclave. Les vrais responsables ne sont pas alors les ouvriers bâtisseurs, traités comme des esclaves par les chefs, mais les meneurs, Nemrod en tête.

Quant au châtiment divin, il semble léger, en comparaison de l'expulsion du paradis ou du Déluge ! Pour certains rabbins, cette indulgence est due au fait que Babel s'est construite dans la paix et l'unanimité : en cela du moins, les hommes ont agi selon la loi divine !

La tour de Babel dans la chrétienté

Par la suite, l'impiété de la construction de la tour a été contaminée par la notion grecque de l'*hybris* (ou *hubris*), cette démesure qui est comme un défi aux dieux, toujours châtié par les dieux. Les auteurs chrétiens du monde romain, à la suite de certains auteurs juifs de l'époque hellénistique (IIIe-Ier s. av. J.-C.) ou romaine, comme le philosophe Philon d'Alexandrie (*De confusione linguarum*, Ier s. apr. J.-C.), l'ont retrouvée à l'œuvre dans la tour de Babel, et cette vision a prévalu dans le monde chrétien pour les siècles à venir. On a négligé la construction de la ville, pour retenir surtout celle de la tour ; l'orgueil des hommes et de Nemrod défiant Dieu ; enfin, le châtiment qu'ils s'attirent : dispersion et, surtout, perte de la langue unique des origines, langue « édénique » (certains ont pensé que cette langue avait été l'hébreu) qui permettait aux hommes d'entendre la parole de Dieu.

LA TOUR DE BABEL À TRAVERS LES ARTS

Nous allons voir que la tour de Babel a inspiré les différentes formes d'art à des époques bien particulières. Elle a d'abord été représentée plastiquement, du Moyen Âge à l'époque moderne, puis, assez récemment, elle a inspiré les écrivains.

Arts plastiques

• **Au Moyen Âge**, ville et/ou tour sont représentées par de petites parties de mur, montées selon les techniques de maçonnerie de l'époque, sans souci du texte biblique (les murs sont généralement en pierre !), et la visée est surtout morale. Soit la tour de Babel est présentée à côté de, et en opposition à l'arche de Noé, soit Nemrod se dresse face à Dieu (sous l'apparence du Christ) : la construction impie fait ainsi face à la construction pieuse. Retenons :

– la fresque de l'abbaye de Saint-Savin-sur-Gartempe (XIIᵉ s.);

– les mosaïques des cathédrales de Monreale, d'Otrante (XIIᵉ s.);

– les enluminures de Pierre le Mangeur, ***Bible historiale***, 1372 ; ou celles du ***Livre d'heures du maître de Bedford***, 1423).

• **À partir de la Renaissance**, la tour prend l'aspect monumental d'un édifice à base d'abord carrée, puis de forme ronde (peut-être contaminée par l'image des minarets), hélicoïdale, qui s'affine au fur et à mesure qu'il s'élève vers le ciel et se perd dans les nuées (comme la grande ziggourat de Babylone). Citons :

– les deux célèbres tableaux de Breughel l'Ancien, ***La Tour de Babel*** (1563), le grand exposé à Vienne, le petit à Rotterdam, qui continuent à inspirer peintres, cinéastes ou affichistes ;

– plusieurs gravures, comme ***La Destruction de la Tour de Babel*** (1547), de Cornelis Anthonisz Theunissen , montrant la tour détruite par le souffle divin ;

– ***La Tour de Babel*** (1594), tableau de Lucas van Valckenborgh exposé au Louvre.

• **Au-delà du** xviiᵉ **siècle**, il n'y a pas d'œuvre singulière à signaler.

Littérature

La littérature semble avoir pris la succession des arts plastiques, et l'essentiel se situe au xxᵉ siècle, à une notable exception près : dans *L'Enfer*, *XXXI* (*La Divine Comédie,* 1314), Dante place Nemrod, avec d'autres géants, aux abords du neuvième et dernier cercle de l'Enfer. Le personnage, un géant présenté comme le roi de Babel, « par qui nous vint la confusion des langues », pousse des hurlements incompréhensibles.

Passent ensuite quatre siècles durant lesquels seuls quelques penseurs, théologiens ou philosophes, s'intéressent à Babel, souvent sous l'angle du ou des langages. Puis nous trouvons :

– *Les Armes de la ville* (1920) et *La Muraille de Chine* (1931, posthume), nouvelles de Franz Kafka. On ne sait si ces textes sont tout à fait achevés. Tous deux évoquent la tour de Babel ;

– *La Bibliothèque de Babel* (*Fictions,* 1944), nouvelle de Jorge Luis Borges.

Musique

Nous pouvons retenir deux œuvres :
– *La Tour de Babel* (1869), oratorio d'Anton Rubinstein ;
– *Babel* (1944), cantate d'Igor Stravinsky.

Cinéma

Impossible de ne pas évoquer ici *Metropolis* (1927), de Fritz

Lang, somptueux film muet en noir et blanc, où abondent les références à la tour de Babel.

LA TOUR DE BABEL, RÊVE OU CAUCHEMAR ?

Il est possible qu'un récit ait circulé à propos d'une tour, ou ziggourat, restée inachevée, qui serait à l'origine de l'histoire de Babel. Mais le récit biblique y ajoute une valeur théologique et moralisante, ainsi qu'une réflexion sur le langage. Quelle(s) interprétation(s) lui donner ?

Babel ou l'orgueil humain à l'assaut du ciel

La première impression éprouvée à la lecture du récit biblique est celle que cette construction, « dont le sommet attein[drai]t le ciel », et qui s'élève grâce au concours de « tous » les humains, se fait sans Dieu, ou peut-être contre lui.

Outre cela, il est dit que les bâtisseurs veulent se faire « un nom », c'est-à-dire qu'ils recherchent une gloire qu'ils s'octroieraient eux-mêmes, tentant ainsi d'usurper une fonction divine. D'une façon ou d'une autre, c'est une entreprise impie, que Dieu condamne et punit. Cette interprétation est celle que l'on retrouve majoritairement dans les analyses théologiques, ainsi que dans les représentations plastiques du Moyen Âge. Dans ce sens-là, on la rapproche parfois d'autres entreprises dues à un violent orgueil. Il est ainsi probable que, si Nemrod est devenu un géant dans l'imaginaire médiéval, c'est que l'érection de la tour de Babel a été assimilée à l'activité des Titans qui, dans la mythologie grecque, ont affronté les dieux de l'Olympe en entassant « Pélion sur Ossa », une montagne sur une autre montagne.

Cet orgueil prend un autre aspect, tout aussi vertigineux, dans l'esprit de Jorge Luis Borges : la « bibliothèque de Babel » serait un véritable labyrinthe contenant toutes les œuvres, écrites dans toutes les langues ! Vision oppressante, ambition irréalisable, qui en revanche n'a rien d'impie.

Babel et la naissance des langues

« Babel » est devenu, dans le langage courant, synonyme d'un endroit où chacun parle une langue différente, où l'on ne s'entend pas. À partir de cette histoire se développe la nostalgie d'une langue originelle parfaite, « édénique » (d'Éden) ou « adamique » (d'Adam), qui aurait permis l'exacte adéquation entre le mot et la chose exprimée.

Cette nostalgie a engendré l'utopie d'un langage universel, utopie qui a traversé les siècles. À la fin du XIXe siècle, des tentatives ont été faites pour constituer une nouvelle langue universelle, que ce soit le volapük, vite disparu, ou l'espéranto, qui se parle aujourd'hui encore à travers le monde (quelques milliers, un million de locuteurs ?). Remarquons qu'après chaque guerre mondiale, l'intérêt porté à cette langue a connu une nette recrudescence, dans l'espoir qu'une langue unique empêcherait la guerre entre les hommes !

Toutefois, la linguistique a élaboré une autre analyse du langage. On estime aujourd'hui que les langues ont été et seront toujours multiples. Et alors que l'anglo-américain tend à s'imposer comme nouvelle langue internationale, on continue (ou on recommence) à cultiver des langues régionales, tandis que dans chaque langue apparaissent constamment de nouveaux mots, de nouvelles formes, de nouvelles significations, parfois propres à un tout petit groupe humain.

Babel et le totalitarisme

Deux voies ont mené à envisager une Babel totalitaire.

• Tout d'abord, l'idée qu'une entreprise d'une telle envergure nécessitait une seule tête, un commandement unique. Le fait que Nemrod soit cité comme régnant sur Babel (Genèse 10, 8-10) accrédite l'idée que la construction tant de la ville que de la tour fut une entreprise impériale. De plus, Nemrod, descendant de Cham, le fils maudit de Noé, est marqué du sceau de la violence. Outre cela, le travail tel que brièvement dépeint en Genèse 11 rappelle le travail auquel sont astreints les Juifs réduits en esclavage en Égypte au temps de Moïse. Là aussi, il s'agit de briques à façonner et de murs à élever…

• Cette opposition entre une « tête » imposant sa volonté et des « bras » soumis à cette volonté (selon la métaphore de *Metropolis*) se marque aussi dans le langage utilisé. En effet, les phrases qui dans la Bible traduisent les injonctions de travail sont particulièrement pauvres (ce qui n'est parfois pas très clair dans les traductions françaises). Qu'on en juge d'après celle d'André Chouraqui, plus précise : « Briquetons des briques ! Flambons-les à la flambée ! » Comme si une langue unique – et une pensée unique ! – induisait une langue appauvrie. D'ailleurs, Babel n'est-il pas le lieu de la confusion, d'un bégaiement? Cette réflexion sur la langue rappelle celle que l'on trouve au sujet du totalitarisme dans *1984*, de George Orwell (1948) : les mots se rapportant aux actions interdites sont rayés du vocabulaire, tandis que les actions du pouvoir, même odieuses, sont recouvertes par des mots valorisants.

Nulle parole n'est réductible à un sens unique ; c'est au contraire la polysémie, l'éventail des sens qui en garantissent la richesse.

La fin de Babel : un retour au réel ?

On comprend alors que certains commentateurs se soient attachés à montrer que la multiplicité des langues, comme la dispersion à travers la terre, n'est pas une malédiction (d'ailleurs, le mot n'est jamais prononcé dans cet épisode), et que l'érection de la tour, plutôt qu'un crime, est une erreur de la part des hommes, erreur corrigée par l'intervention divine. L'épisode ne serait alors qu'une parenthèse dans l'évolution naturelle de l'humanité née de Noé, vouée par Dieu à occuper toute la surface de la terre, et à se différencier tribu par tribu, peuple par peuple, langue par langue. Genèse 10, énumérant les descendants de Noé, dressait déjà un tableau des « nations », se terminant sur la phrase suivante : « Ce fut à partir d'eux que les peuples se dispersèrent sur la terre après le Déluge. »

Certains auteurs se passent même de l'intervention divine, montrant que le trop grand projet de la tour contient en soi l'impossibilité d'aboutir (dans *Les Armes de la ville*, par exemple), à cause des petits soucis quotidiens qui monopolisent l'esprit des bâtisseurs et leur font perdre de vue leur projet initial.

Finalement, si l'on considère que l'entreprise babélienne est un rêve qui a pu tourner au cauchemar, la fin de Babel marque simplement le retour à la réalité de la diversité humaine et linguistique.

* * *

En livrant ces quelques interprétations, nous n'avons pas épuisé le sujet de la tour de Babel. Sens premiers et sens symboliques s'ajoutent, apportant plus d'interrogations que de réponses, ce qui est bien le gage de sa fécondité !

LEXIQUE

Adam : premier homme, créé par Dieu et installé au paradis (voir ce mot) avec la première femme, Ève. Leur désobéissance leur valut d'en être chassés, et de mener sur terre une vie difficile, marquée par la mort et la souffrance – cette vie sera celle des hommes, qui descendent tous de ce même ancêtre (selon la Bible).

Babylone (*Bab-ilu* : « la porte de Dieu ») : grande ville de Mésopotamie, où furent déportés la famille royale et un grand nombre de notables de Juda, après la première destruction du Temple de Jérusalem (587 av. J.-C.). C'est le premier Exil, la première *diaspora* juive (« dispersion » loin du pays d'origine). C'est sans doute à Babylone que fut rédigée une grande part des livres du Tanakh. Ainsi s'explique que, dans ces livres, Babylone est toujours le lieu de la perdition, celui de l'impiété, où l'on s'éloigne de Dieu.

Par la suite, les chrétiens ont désigné du nom de Babylone tout lieu de perdition, et, à partir du XVIᵉ siècle, pour l'Église réformée, c'est la Rome des papes qui fut ainsi surnommée.

Bible : livre sacré du judaïsme et du christianisme, nommé d'après le grec *biblia*, « les livres ».

La partie la plus ancienne est la **Bible hébraïque** ou **Tanakh**, Ta-Na-Kh étant l'acronyme des trois parties qui la composent : **T**orah (la Loi), **N**eviim (les Prophètes) et **K**etouvim (les Écrits). Selon les Juifs, la Torah a été écrite par Moïse, les autres textes étant plus tardifs. Selon les travaux les plus récents de la critique, le texte a été essentiellement compilé, à partir de matériaux plus anciens, au viie siècle avant J.-C., et sa mise en forme a été achevée au ive siècle de notre ère. La langue utilisée est l'hébreu, avec quelques passages en araméen (langue administrative de l'Empire perse après le vi^e s. av. J.-C.).

Au iie siècle avant J.-C. a vu le jour, à l'usage des Juifs d'Alexandrie, une traduction grecque, dite **Bible des Septante**, qui présente quelques différences avec le Tanakh. C'est cette traduction qui est devenue l'**Ancien** ou **Premier Testament** catholique et orthodoxe. Les protestants, eux, ont adopté la Bible hébraïque.

À cet Ancien ou Premier Testament est venu s'ajouter pour les seuls chrétiens le **Nouveau Testament**, qui relate l'avènement de Jésus-Christ. Il contient les quatre Évangiles, les Actes des Apôtres, les Épîtres et l'Apocalypse de Jean (composés en grec aux i^{er}-iie s. de notre ère), et a été définitivement fixé au ve siècle.

Cet ensemble a été diffusé dans le monde romain grâce à la **Vulgate**, traduction en latin établie à partir de l'hébreu et du grec par Jérôme de Stridon entre 382 et 405. C'est la version officielle de l'Église catholique.

Caïn : fils aîné d'Adam et d'Ève, le premier couple. Meurtrier de son frère Abel, il s'exila et bâtit la première ville, qu'il nomma Hénoch, du nom de son propre fils.

Dieu : unique et universel selon les religions monothéistes : judaïsme, christianisme, islam. Dans la Bible hébraïque, il est désigné par un *tétragramme* (« quatre lettres », en grec) transcrit YHWH, et prononcé (avec des voyelles) Jéhovah ou Yahvé par les chrétiens. Pour les juifs en revanche, le caractère sacré du tétragramme interdit de le prononcer, et on le remplace à la lecture par différents noms ou qualificatifs : le Seigneur, l'Éternel, etc.

Genèse : ou *Berechit* (« Au commencement »), premier des cinq livres de la Torah. C'est dans la Genèse que sont racontées la création du monde, la création de l'homme, sa destruction par le Déluge, l'histoire d'Abraham et de ses descendants jusqu'à Moïse.

Idolâtrie : culte adressé à une image ou une statue (idole) représentant une divinité, considérée comme un « faux dieu » dans les religions monothéistes. On lui fait offrandes et sacrifices (éventuellement humains).

Israélites (« fils d'Israël ») : désigne, dans la Bible judaïque, les membres de l'une des douze tribus issues de Jacob (le troisième des Patriarches, ancêtres et fondateurs du peuple juif, qui reçut le nom d'Israël après qu'il eut lutté contre un ange).

Suite à la mort du roi Salomon, le royaume formé de la réunion des douze tribus fut divisé en deux, et la partie nord prit le nom d'Israël, le sud celui de Juda. Après la conquête du nord par les Assyriens (VIIIᵉ s. av. J.-C.), Israël désigna progressivement l'ensemble de la communauté juive, tandis que Juda continuait à désigner le pays que peuplaient les Judéens.

À partir du XVᵉ siècle, le mot « israélite » désigne les adeptes du judaïsme, et devient l'équivalent du mot « juif » (dérivé de « judéen »).

Midrash : commentaires oraux du Tanakh, mis par écrit dans le Talmud et différents autres traités de la littérature rabbinique (voir ce mot).

Noé : « juste et irréprochable », Noé fut distingué et sauvé par Dieu alors que celui-ci s'apprêtait à détruire l'humanité, trop mauvaise à ses yeux, sous le Déluge. Ses trois fils, Sem, Cham et Japhet, sont les ancêtres de l'ensemble du genre humain actuel (selon la Bible).

Paradis : mot persan utilisé en grec (*paradeisos*) pour traduire le « jardin » d'Éden, jardin des délices où Adam et Ève vécurent avant la faute. Ce paradis terrestre est pour les chrétiens l'image d'un « paradis » céleste, où les âmes des justes connaissent un bonheur parfait après la mort.

Rabbinique [littérature] : les rabbins sont les docteurs de la Loi juive. Après la destruction du Temple, c'est leur enseignement qui est devenu, avec le Tanakh, le socle de la religion juive, dite judaïsme rabbinique. Cet enseignement, d'abord oral (il se poursuit aujourd'hui encore), est au fil du temps fixé par écrit dans divers traités, les plus anciens étant réunis dans le **Talmud**. Les commentaires expriment des points de vue différents, parfois divergents ou même contradictoires. Ces commentaires peuvent aussi s'accompagner d'anecdotes ou de digressions qui servent aussi bien à illustrer le propos qu'à réveiller l'intérêt des fidèles.

Temple : désigne, pour les Juifs, le Temple de Jérusalem. Pendant longtemps, les Juifs transportaient avec eux l'Arche d'alliance, signe de la présence de Dieu à leurs côtés. C'est le roi Salomon (xe s. av. J.-C.) qui fit construire le premier Temple à Jérusalem pour y abriter l'Arche. Ce premier Temple fut détruit en 587 avant J.-C. par Nabuchodonosor II. À la fin de l'Exil, un second Temple fut rebâti (520-515 av. J.-C.). Mais en 70 après J.-C., celui-ci fut à nouveau rasé par le général romain Titus, cette fois-ci définitivement.

L'AUTRICE,
Marie-Thérèse **Davidson**

Je suis née à Paris, de parents étrangers, peu après la fin des horreurs de la Seconde Guerre mondiale. Est-ce pour cela que j'ai beaucoup rêvé d'héroïsme et de belles histoires ? Très jeune j'ai « dévoré » des contes, des récits, des romans, tout ce qui enflamme le cœur et l'imagination.

Nourrie de « Contes et Légendes », puis de mythologie grecque, je me suis toujours passionnée pour tous les grands récits d'origine, ceux qui expliquent l'homme et le monde.

Le plus grand de ces récits fondateurs, pour notre civilisation occidentale, est la Bible. Malgré toutes les difficultés liées au fait que les Bibles hébraïque et chrétienne sont des textes sacrés, il était tentant de faire vivre dans des romans, profanes mais respectueux de toutes les croyances, les personnages de la Bible, avec leur foi, leurs peurs, leurs espoirs et leurs souffrances – humaines, si humaines !

Cette fois, ce n'est pas un personnage qui a capté mon attention, mais une entreprise riche d'ambiguïté, la construction de la Tour de Babel. Quels mobiles ont animé ces bâtisseurs ? Comment comprendre la réponse divine, cette éclosion soudaine des langues ? Intéressée par les différentes civilisations, et donc, forcément, par leurs langues, c'est tout naturellement que j'ai tenté d'élever (en accord avec le texte biblique) ma propre tour de Babel.

De la même autrice :

Aux éditions Nathan
• Dans la collection «Histoires de la Bible»
Moïse — Entre Dieu et les hommes, 2010.
Caïn — Le premier meurtre, 2009.
• Dans la collection «Histoires noires de la mythologie»
Rebelle Antigone, 2005.
Œdipe le Maudit, 2003.

Chez d'autres éditeurs
Homère, Oskar éditions, collection « Personnages de l'Histoire », 2009.
Sur les traces des dieux grecs, Gallimard Jeunesse, 2005.
Sur les traces des esclaves, Gallimard Jeunesse, 2004.
Sur les traces d'Alexandre le Grand, Gallimard Jeunesse, 2002.
Sur les traces d'Ulysse, Gallimard Jeunesse, 2001.

TABLE DES MATIÈRES

DANS LA MÊME
COLLECTION

MIXTE
Papier issu de
sources responsables
FSC® C022030

N° éditeur : 10251872 – Dépôt légal : août 2011
Achevé d'imprimer en mars 2019 par « La Tipografica Varese Srl » (Varese, Italie)